Autor _ DARCY RIBEIRO
Título _ UTOPIA BRASIL

Copyright	Fundação Darcy Ribeiro, 2008
Organização©	Isa Grinspum Ferraz, 2008
Edição©	Hedra, 2008
Agradecimento	a *Templo Glauber* por ter gentilmente cedido os direitos de publicação do artigo *Darcy*.
	a Ellen Cristine Vogas, Raquel Viana e toda a equipe da Fundação Darcy Ribeiro.
Corpo editorial	Alexandre B. de Souza, Anderson Freitas, André Fernandes, Bruno Costa, Cauê Alves, Ciro Pirondi, Fábio Mantegari, Iuri Pereira, Jorge Sallum, Rafic Farah, Rosa Artigas, Tereza Speyer
Dados	Dados Internacionais de Catalogação na Publicação (CIP)

Ribeiro, Darcy / Utopia Brasil (organização Isa Grinspum Ferraz) — São Paulo : Hedra : 2008 Bibliografia.

ISBN 978-85-7715-025-0

1. Brasil I. Título

CDD-981

Índice para catálogo sistemático:
1. Brasil: 981

Direitos reservados em língua portuguesa somente para o Brasil

EDITORA HEDRA LTDA.

Endereço	R. Fradique Coutinho, 1139 (subsolo) 05416-011 São Paulo SP Brasil
Telefone/Fax	+55 11 3097 8304
E-mail	editora@hedra.com.br
Site	www.hedra.com.br

Foi feito o depósito legal.

Autor _ Darcy Ribeiro
Título _ Utopia Brasil
Organização _ Isa Grinspum Ferraz
Série _ Escola da Cidade
São Paulo _ 2011

Darcy Ribeiro (Montes Claros, 1922–Brasília, 1997) formou-se em antropologia em 1946 e trabalhou dez anos entre os índios, como etnólogo e indigenista. Nos anos seguintes, se fez educador, reitor da Universidade de Brasília e ministro da Educação no gabinete Hermes Lima. Ainda na política, foi ministro-chefe da Casa Civil do governo João Goulart (1963), vice-governador do Rio de Janeiro (1983–1987) e senador (1991–1997). Viveu doze anos exilado em diversos países da América Latina (1964–1976), quando escreveu boa parte de sua extensa obra. Autor de inúmeros livros de etnologia, antropologia e educação: *Kadiwéu* (1950), *Culturas e línguas indígenas do Brasil* (1957), *Arte plumária dos índios Kaapor* (1957), *A política indigenista brasileira* (1962), *Plano orientador da Universidade de Brasília* (1962), *O processo civilizatório* (1968), *As Américas e a civilização* (1970), *Os índios e a civilização* (1970), *Configurações histórico-culturais dos povos americanos* (1975), *O dilema da América Latina* (1978), *Suma etnológica brasileira* (1986, em colaboração), *O povo brasileiro* (1995), *Diários índios: os urubus-kaapor* (1996); e dos romances *Maíra* (1976), *O Mulo* (1981), *Utopia selvagem* (1982) e *Migo* (1988).

Utopia Brasil reúne cinco textos inéditos, ou que tiveram circulação restrita, dos últimos vinte anos de produção do autor: "Brasil – Brasis" (1987), texto sobre a singularidade cultural brasileira, "Ivy-marãen, a terra sem males, ano 2997" (1997), uma utopia futurista, "Brasil: terra dos índios" (1977), sobre a diversidade de povos no Brasil, "Primeira fala ao Senado" (1991) e "Exéquias a Glauber Rocha" (1981). Além desses, constam no apêndice um texto de Glauber sobre o amigo (1978) e uma entrevista inédita, realizada na volta do exílio (1977), com Ferreira Gullar, Mário Pedrosa, Glauber Rocha, Zuenir Ventura e Darcy Ribeiro, reproduzida aqui na íntegra.

Isa Grinspum Ferraz é socióloga, formada pela USP, e documentarista. Realizou *O Povo Brasileiro*, série baseada na obra de Darcy Ribeiro, prêmio de Melhor Produção Cultural para TV, no Grande Prêmio Brasil 2000. Concebeu e dirigiu, entre outros, as séries *Intérpretes do Brasil* e *O Valor do Amanhã*, para a TV Globo, e coordenou também a criação de conteúdos e roteiros do Museu da Língua Portuguesa, em São Paulo.

Série Escola da Cidade é resultado de uma parceria com o Seminário de Cultura e Realidade Contemporânea, da faculdade de arquitetura e urbanismo Escola da Cidade, e visa a publicação do pensamento brasileiro sobre arte, história, arquitetura e política.

SUMÁRIO

Introdução, por Isa Grinspum Ferraz 9

UTOPIA BRASIL   **19**
Brasil — Brasis 21
Ivy-marãen: a terra sem males, ano 2997 37
Brasil: terra dos índios 59
Primeira fala ao Senado 75
Exéquias a Glauber Rocha 97

APÊNDICE   **99**
Darcy, por Glauber 101
Entrevista: Darcy, Glauber Rocha, Ferreira Gullar,
    Mário Pedrosa e Zuenir Ventura (1977) 105

INTRODUÇÃO

> Quem sou eu? Às vezes, me comparo com as cobras, não por venenoso, mas porque eu e elas mudamos de pele de vez em quando. Usei muitas peles nessa minha vida.
>
> Darcy Ribeiro

AOS ACADÊMICOS E ESTUDIOSOS, a tarefa de analisar a obra em profundidade, buscando nela fundamentações e incongruências, comparando, tecendo considerações críticas. Minha abordagem é necessariamente outra: é a de quem viu, ouviu, conviveu, compartilhou experiências profissionais e uma amizade profunda.

Não foi fácil escolher os textos presentes neste livro. Darcy Ribeiro escreveu continuamente durante grande parte dos seus 73 anos de vida muito bem vividos. As poltronas de suas casas tinham braços largos para apoiar papel e caneta, e Darcy escrevia sempre. Nem a doença freou seu impulso e sua urgência de dizer coisas. Escreveu até o último dia de vida, mesmo devorado por um câncer generalizado. Sua produção intelectual — estudos, ensaios, artigos, romances — é enorme, e irregular.

Os critérios que estabeleci para mim mesma diante de tal desafio foram os de publicar textos sintéticos, acessíveis e inéditos (ou de circulação restrita) que expressem a originalidade das principais ideias de Darcy sobre a formação e o futuro do Brasil, sua obsessão.

INTRODUÇÃO
O MODERNISMO DE DARCY RIBEIRO

Darcy investigou o Brasil e os brasileiros, assim como vivenciou e estudou o contexto latino-americano — que, para ele, guardava uma unidade essencial com nosso processo civilizatório, apesar dos fatores de diversificação. Foi antropólogo, educador, criador de universidades, romancista, político.

Darcy fez parte de uma geração de intelectuais e artistas que acreditava firmemente ser possível construir um projeto cultural abrangente para o Brasil e para a América Latina. Um projeto destinado a revolucionar as estruturas do país e do continente, e não apenas a reformá-las. Em um discurso proferido no México em 1978, disse:

> No meu ver, o que caracteriza a América Latina de hoje é o súbito descobrimento de que tudo é questionável. As velhas explicações eram justificações. É necessário repensar tudo... Eu acredito que o que caracteriza a nossa geração, a geração que começou a atuar depois de 1945, é esta consciência mais lúcida e mais clara de que o nosso mundo tinha de ser desfeito para ser refeito.

Herdeiros das utopias socialistas da Revolução de Outubro e do vazio deixado pela visão dos horrores das duas grandes guerras que abalaram a ordem mundial, gente como Darcy, Celso Furtado, Lina Bo Bardi, Glauber Rocha, Octavio Paz, entre muitos outros, tinha uma perspectiva ao mesmo tempo trágica e aguda da realidade. Pessoas que acreditavam que podiam mudar o mundo, no caminho da melhoria das condições sociais.

Era uma geração de humanistas que queria nada menos que o todo. Gente temperada também pelo radicalismo das vanguardas europeias do começo do século XX, pelo existencialismo de Sartre e, mais tarde, pelas agitações sociais de Maio de 1968 e pelos movimentos *beat* e *hippie*; pela Revolução Cubana e pela Guerra do Vietnã. E mais do que isso: era uma gente que bebeu no modernismo antropofágico da Semana de 1922, ávida por conhecer e fazer valorizar as raízes mais profundas da nossa formação híbrida.

Como disse Eduardo Subirats, em seu *A penúltima visão do Paraíso*:

a vanguarda europeia exprimiu fundamentalmente uma angústia existencial com respeito a um passado que, de um lado, a afogava e, de outro, temia perder... Ao contrário, os "antropófagos" brasileiros descobriram na própria realidade histórica americana, nas línguas indígenas e nas expressões artísticas populares aquele princípio criador capaz de gerar o novo em termos formais e em termos de uma utopia social de sinal emancipador... Mais além da reivindicação de uma realidade cultural própria, a Antropofagia apontava para um projeto civilizador originalmente americano.[1]

Tratava-se de uma vanguarda local, sim, "mas perfeitamente globalizada e integralmente civilizada"[2].

Dessa mistura complexa brotaram no Brasil coisas tão diversas como o Cinema Novo, a poesia concreta, a Bossa Nova, a Sudene — Superintendência de Desenvolvimento do Nordeste, os CPCs — Centros Populares de Cultura, um teatro radicalmente novo, o movimento tropicalista, e uma produção acadêmica comprometida com a realidade. Uma série de caminhos se abriu também na arquitetura e nas artes plásticas. Formas livres e novas linguagens; "uma visão radicalmente renovadora da modernidade", como bem disse Subirats.

Darcy pertencia a esse tempo. Para ele, fato e mito formam juntos a tessitura da vida, e qualquer análise que menospreze esse amálgama será necessariamente incompleta e desinteressante. Assim, ele incorporou em seu discurso dissonante e heterodoxo coisas como o culto do Espírito Santo, a mestiçagem brasileira, e uma profunda vontade de beleza, que aprendeu a observar com os índios com quem conviveu

---

[1] Eduardo Subirats. *A penúltima visão do paraíso*. São Paulo: Studio Nobel, 2001, p. 158.
[2] *Op. Cit.*, p. 156

por mais de dez anos. Darcy buscava um socialismo moreno com repercussões profundas na alma brasileira, no que se identificava com seu grande amigo, o cineasta Glauber Rocha.

Veio o Golpe de 1964; veio a ditadura militar e o AI-5. As repercussões na universidade e na vida intelectual e artística do país foram brutais, com o exílio de muitos dos melhores quadros dessa geração. Todo esse universo de renovação foi desmantelado com violência. Junto a muitos outros, Darcy Ribeiro, então chefe da Casa Civil do governo reformista de João Goulart, foi preso e exilado, tendo sido obrigado a peregrinar por muitos anos em diversos países da América Latina: Uruguai, Chile e Peru. Os anos de chumbo que se seguiram deixaram marcas profundas na cultura e na educação brasileiras. As novas gerações que se formaram a partir de então não puderam conhecer em profundidade as ambições dessa geração e o seu significado. Hoje, passados trinta anos do fim da ditadura militar, todo aquele ideário parece fora de moda. Será mesmo assim?

Há hoje toda uma reflexão apontando para a superação desse modelo de pensamento totalizante e, de alguma forma, salvacionista. Grande parte da academia brasileira — principalmente a paulista — nunca aceitou de fato o pensamento independente de Darcy. Há também críticas de várias naturezas em relação a sua atuação política e ao fato de ter assumido cargos de poder.

O fato é que Darcy foi um dos poucos intelectuais brasileiros que se engajou na luta política partidária. Foi ministro da educação e chefe da Casa Civil nos anos 1960, candidato a governador no Rio de Janeiro nos 1980, vice-governador e secretário de Estado no governo de Leonel Brizola e, já perto do final de sua vida, foi senador da República. Darcy aceitou os riscos desse engajamento e da exposição pública como poucos intelectuais latino-americanos o fizeram, e foi, também por isso, bastante estigmatizado.

MUITAS VIDAS NUMA SÓ

Em Darcy Ribeiro, o pensamento e a ação engajada foram moldados por essa época confusa e profícua. Mas também por sua trajetória pessoal de mineiro de Montes Claros, região marcada por grandes desigualdades sociais e por um imaginário popular muito rico, poderosamente descrito por Guimarães Rosa.

O interesse de sua extensa obra vem dessa sua singularidade. Por um lado, os escritos de Darcy são o resultado de pesquisa e observação pacientes e aguçadas, e de uma análise sistemática a respeito dessa experiência única que é o Brasil. Darcy era um homem profundamente culto, um "devorador de papel", como ele dizia. Seus livros de etnologia e antropologia foram traduzidos em inúmeras línguas e Darcy recebeu o título de *doutor honoris causa* em algumas das mais importantes universidades do mundo. Por outro lado, sua obra nos faz refletir sobre a possibilidade de criar de forma livre e descolonizada, sem complexo de inferioridade em relação aos modismos recém-transplantados.

Para Darcy Ribeiro, nenhum modelo poderá jamais enquadrar esse nosso país dotado e promissor "que não deu certo".

Por isso, é necessário conhecê-lo para poder reinventá-lo. Por isso, é preciso decifrar os seus sinais para criar o novo; saber dos fundamentos da aventura humana nesse território para não deixar perder-se o que ela guarda de potência criadora. É possível? É viável? Será que devemos desconsiderar essa hipótese?

Como antropólogo e etnólogo, Darcy viveu com sua mulher, a importante etnóloga Berta Ribeiro, entre os índios brasileiros, decifrando seu modo de existir e pensar; criou o Museu do Índio, primeira instituição brasileira "projetada para lutar contra o preconceito contra o índio, que descrevia o índio como canibal, preguiçoso, violento"; escreveu seus impressionantes *Estudos de Antropologia da Civilização* —

seis volumes, com quase duas mil páginas; criou, com Eduardo Galvão e os irmãos Villas-Boas, o revolucionário Parque Nacional do Xingu.

Como educador, lutou pela escola pública e gratuita de período integral e de qualidade para todos os brasileiros; criou a Universidade de Brasília, para, como disse, "transmitir todo o saber do homem como um modo de diagnosticar os problemas brasileiros, de definir bem que problemas são e de encontrar caminhos para superar esses problemas", e andou pelo continente latino-americano reformando universidades; já no final de sua vida, criou a Lei de Diretrizes e Bases da Educação que, aliás, leva o seu nome.

Como romancista, escreveu entre outros, *Maíra*, obra considerada pelo crítico Antonio Candido "um dos mais importantes romances brasileiros do século". E na sua profunda inquietação, ainda fez muitas outras coisas Brasil e mundo afora.

O que há de comum e coerente em todas essas frentes em que Darcy Ribeiro empenhou sua vida sem filhos parece ser o impulso quase vulcânico de um criador sem medo e cheio de utopias. Perto do final de sua vida, em um depoimento para minha câmera, perguntou irônico e amargo:

O que é que nós todos queremos? É fazer um país habitável, em que as pessoas existam pra serem felizes, alegres, amorosas, afetuosas, todo mundo comendo todo dia. Não é uma alegria? Não é um absurdo que num país tão grande, tão cheio de verde, tenha tanta gente com fome?... O Brasil não tem nenhum bezerro abandonado, não tem nenhum cabrito abandonado, nenhum frango. Todo frango tem um dono. Mas tem milhões de crianças abandonadas. Quando uma sociedade perde seu nervo ético, perde seu apego por suas crianças, que é a sua reprodução, é uma enfermidade tremenda.

Quem hoje tem coragem de desafiar o coro dos contentes? Como disse uma vez Aílton Krenak, "por que o Darcy causava tanto desconforto e raiva? Qual a universidade que dá chance para alguma coisa do Darcy no Brasil? Parece que eles o exilaram mais de uma vez. Eles o exilaram vivo, aproveitaram que ele morreu e o exilaram de novo".

Darcy Ribeiro afirmou várias vezes, referindo-se a suas lutas pelos índios, pela educação, pela democracia: "Fracassei na maioria das propostas que defendi. Mas os fracassos são minhas vitórias. Eu detestaria estar no lugar de quem me venceu".

Terá essa geração a que ele pertencia fracassado de fato em sua "cruzada heroica e redentora de modernização"?

O continente latino-americano e o Brasil, especialmente, seguem campeões da desigualdade social. A herança escravista permanece introjetada em nosso "corpo e alma". A educação segue desastrosa, e assim por diante.

Mas a leitura e o estudo da obra de Darcy Ribeiro são ainda muito estimulantes, não apenas como notável expressão de uma época profícua da produção intelectual no Brasil, mas também como um horizonte aberto para se pensar o Brasil contemporâneo. Como sabiamente sintetizou Haroldo de Campos, "o antigo que é novo é mais novo que o mais novo".

Dos fracassos de Darcy emana uma música ácida e doce para o Brasil.

ÍNDIOS, BRASIS E PROFECIAS

A obra publicada de Darcy Ribeiro poderia ser subdividida em fases por seus diferentes temas e diversos níveis de rigor e profundidade. Como disse acima, essa análise dependeria de estudos sistemáticos e não sou eu a pessoa apta a fazê-lo. O que posso dizer como observadora é que o temperamento vulcânico de Darcy produziu intuições em ritmo e quantidade avassaladores. Inicialmente, com toda a precisão requerida pelo método científico. Mais tarde, a urgência de dizer coisas e a angústia da proximidade da velhice e da morte fizeram com que ele muitas vezes desdenhasse de um certo tratamento do texto e de um rigor maior. Darcy se permitia generalizações, brincadeiras e incongruências que deixariam arrepiados muitos pensadores.

Darcy era amigo das grandes imagens claras e de impacto que o tornassem compreensível por todos. Achava que pouca gente conhecia de fato o Brasil e os brasileiros e, na sua ambição meio iluminista, acreditava poder contribuir para "desasnar" jovens e velhos, como ele dizia. Sempre no sentido de "melhorar o Brasil", sua *raison d'être*.

Os textos que escolhi para esta publicação mostram facetas diferentes da obra de Darcy e podem ser reveladores de seu estilo e de algumas de suas contradições. Pesquisei entre o vasto material não-publicado abrigado nos arquivos da Fundação Darcy Ribeiro — instituição criada por Darcy Ribeiro para preservar sua obra e a de Berta Ribeiro.

Procurei textos não-publicados ou publicados em edições muito restritas. Alguns deles estão nos arquivos sem mais referências além da data em que foram escritos.

Brasil — Brasis (1987) Esse é um texto de síntese, do qual não se tem referência precisa. Nele, Darcy fala das nossas matrizes e singularidades; de nossa herança barroca; de raças e classes no Brasil. Fala também de modernidades e dos nossos problemas contemporâneos no delicioso capítulo "Síndrome de Calcutá".

Como Darcy, esse é um texto superlativo, cheio de figuras de linguagem. Em sua forma não acadêmica, pontuada por licenças poéticas e irreverência, é um texto ácido e bem-humorado que pode ser lido por todos.

Ivy-Marãen: a Terra sem Males — Ano 2997 (1997) Escrito por encomenda do Senado quando era senador da República, e publicado no ano de sua morte no *Livro da Profecia — o Brasil no Terceiro Milênio*, esse era um texto que Darcy prezava muito. Nele, projeta o Brasil do futuro com uma marca muitíssimo original e graciosa.

Propõe ao leitor uma espécie de sobrevoo pelo país-continente, destacando os lugares que ele mais prezava. Fala das Amazônidas, do Incário, do Pantanal, dos Sulinos, sua amada Brasília, além de passar pelo Rio, Bahia e pelas Praias Mornas do nosso litoral. Esse país-continente é Ivy-Marãen, terra de fatos e mitos.

Brasil: Terra dos Índios (1977) Esse texto está dividido em três partes: *Brasil, terra dos índios*; *Brasil: a indianidade original*; e *Brasil índio: o Paraíso Tropical*. Nele, Darcy nos ensina quem são nossos índios, o que devemos a eles na cultura contemporânea — o que eles nos legaram e ensinaram, e sobre o milagre que é o Brasil, onde convivem modos de vida tão radicalmente diversos quanto a metrópole paulistana e índios ainda não contatados pelo mundo dos brancos, que vivem como sempre viveram.

Fala também dos encontros e desencontros entre índios e brancos.

Primeira fala ao Senado (1991) Incluí também a Primeira Fala ao Senado, discurso de estreia de Darcy no Senado Federal. O plenário ouviu em silêncio, por 40 minutos, o discurso cortante em que Darcy diagnostica as causas do atraso brasileiro, e ao final, aplaudiu de pé por longos minutos. Na plateia, Fernando Henrique Cardoso, Suplicy, Mario Covas, Nelson Carneiro. O discurso fora publicado na revista *Carta'* (sem número ou data), editada pelo Senado, e de circulação restrita.

Exéquias a Glauber (1981) Incluí também uma pequena fala de Darcy no enterro de Glauber Rocha. À beira do túmulo e cercado por grandes nomes do cinema e das artes do país, Darcy — recém-saído de 20 anos de ditadura, perseguição e exílio — homenageou o grande amigo numa espécie de transe emocionado. O discurso aqui apresentado é uma transcrição do registro feito em imagens por Silvio Tendler.

Apêndice Como apêndice, foram incluídos ainda um artigo de Glauber Rocha, publicado na *Folha de S. Paulo* (29 de julho de 1978), em que ele simula uma conversa com Darcy Ribeiro, bem como uma longa entrevista inédita, de 1977, realizada por Elizabeth Carvalho, com Darcy Ribeiro, Ferreira Gullar, Glauber Rocha, Zuenir Ventura e Mário Pedrosa. O texto só sairia, ainda que parcialmente, em 1997, no *Jornal do Brasil*.

***

Gostaria que esses textos levassem os leitores a se interessar pela extensa e bela obra de Darcy Ribeiro; a mergulhar em um mundo criativo de vibração e utopia.

UTOPIA BRASIL

BRASIL — BRASIS

Nós, BRASILEIROS, herdamos um pedaço grande, bonito, do planeta. Em tamanho somamos vinte e cinco Alemanhas — as duas — em população, somos o dobro — outra vez as duas, que para mim são uma. Beleza não se discute. Quem duvidar que venha ver esses encantos de meu país tropical, de incomensuráveis florestas e campos, mares e rios. Superlativamente belo.

Melhor, porém, é este meu povo, mestiçado de todas as raças, bonito e alegre, como não há outro. Duvida? Venha nadar na praia de Ipanema onde a gurizada bem nutrida se doura ao sol o ano inteiro. Depois, espiche um pouco para ver meu povão dançando o Carnaval no Sambódromo. Encherá seus olhos de tanta beleza que você jamais esquecerá. Não sei por que tanta alegria, se metade desse povo passa fome.

MATRIZES

Gente do mundo inteiro deu sua ajuda no fazimento dos brasileiros. Tudo começou com uns soldados romanos acampados na Ibéria que, não se sabe como, latinizaram os antigos moradores. Lá, seus filhos e netos espreguiçaram mil e quinhentos anos, depois do que, bem descansados, fizeram naus oceânicas e vieram para cá.

Na chegada assombraram-se demais, cuidando que tinham achado o Paraíso Perdido, tanto era o verdor dos verdes, o frescor das águas, o candor das gentes inocentes, índios e índias, todos nuelos, com as vergonhas de fora.

Maior foi o espanto dos índios, ao verem desembarcar, em suas praias tão limpas de então, aqueles navegantes hirsutos, lavrados de feridas de escorbuto, fedidos como a peste. O pior para os índios, naquele momento, foi esta catinga natural do homem branco que eles desconheciam até então. Acentuada ali pela imundice do longo tempo de navegação sem banho. Tapando os narizes, meus índios ensinaram aos brancos o caminho do igarapé. No banho, limpos, confraternizaram, começando, naquela hora, a gerar os mestiços que seriam, no futuro, os brasileiros.

Nas décadas seguintes, aquela indiada toda — uns seis milhões — se gastou em guerras de extermínio nas quais enfrentavam tiros de canhão com suas flechas; no apodrecimento pelas inumeráveis pestes que o invasor trazia no corpo; no roubo de suas mulheres para serem prenhadas e dos homens para serem sujigados no trabalho escravo.

Como a Europa, depois de provar o açúcar, ficou insaciável dele — tal como já era de ouro e seria, depois, de café etc. —, acabados os índios capturáveis, perto ou longe, se teve que encontrar outra fonte de mão de obra. Para isso montou-se um negócio planetário de caçar negros na África para vender no Brasil. Foi a maior transladação de gentes de que se tem notícia.

Este processo civilizatório, ocidental, europeu e cristão, foi um negócio lucrativo como nenhum outro e durou quase quatro séculos. Nele se gastaram dezenas de milhões de negros, tantos eram os que morriam nas caçadas, ainda na África; na travessia oceânica, amarrados no fundo das naus; ou, ao chegar aqui, de tristeza — banzo — ou por suicídio. Os que escapavam dessas mortes violentas, morriam mais devagar — duravam em média sete anos no eito — trabalhando debaixo do chicote dos feitores. Mas, assim como dos tachos borbulhantes de açúcar vazavam pingos gordos de mel, assim também as negras pariam mulatinhos para serem brasileiros.

Este tremendo desgaste de índios e negros, além de representar uma gigantesca despopulação dos povos de cor, teve o efeito de reduzir drasticamente as faces étnicas da humanidade. Foram exterminados, no seu curso, milhares de povos, cada qual com sua própria fala, seus mitos originais, seus saberes copiosos, que se perderam para sempre. Da maior parte deles não se tem sequer notícias, tal o descaso com que a expansão européia se cumpriu sobre os corpos dos povos morenos que encontraram mundo afora.

Desde então, se fixaram os padrões básicos de relações interétnicas e interclasses no Brasil. O patrão branco, cristão, no papel de sujigador e opressor, tirando de seus escravos e, depois, de seus trabalhadores, todo o lucro que pudessem dar, indiferentes à sua sorte. O negro, o índio e seus mestiços condenados a lutar por sua liberdade, fugindo do terror branco, uns para suas tribos, outros para quilombos; uns e outros se poupando para não serem mortos no serviço insano do patrão, que, a seus olhos, só produziam futilidades: açúcar, ouro, diamantes, café etc.

Índios e negros foram por séculos o combustível que se gastou na próspera empresa colonial, geradora de um tipo sinistro de prosperidade, não generalizável aos que a produzem, que até hoje é a única que conhecemos.

Todos esses milhões de trabalhadores não foram suficientes para saciar a fome de mão de obra da economia agroexportadora do Brasil. Assim é que se teve de importar uns seis milhões de imigrantes brancos, pagos a peso de ouro, quando eles se tornaram disponíveis. Tal se deu, à medida que o desenvolvimento capitalista foi convertendo o povo de cada país europeu que progredia em gado humano exportável. Desse modo, aos iberos somamos ítalos, teutos, francos, eslavos e até nipões. Qualquer um servia e quanto maior fosse a família, melhor para a colheita de café. Caindo sobre a massa de quatorze milhões de brasileiros que encontraram aqui, os recém-chegados mais se assimilaram do que imprimiram suas marcas na cultura brasileira.

Toda esta imensidade de gentes diversas, convivendo em nosso clima cálido, se cruzou e recruzou com tanta alegria e viço que hoje o que sobra no Brasil é gente brasileira. Vale dizer, gente desvestida de seu ser original, desindianizada, desafricanizada, deseuropeizada, para serem o povo que somos. Um povo tábula rasa, sem grandes tradições civilizatórias a cultuar, mesmo porque no passado só vemos avós índios nus e avós negros de tapa-rabo. Por isto é que não nos voltamos para o passado, estamos abertos é para florescer no futuro.

SINGULARIDADES

As principais marcas distintivas que singularizam os brasileiros são, por um lado, esta misturação racial e, por outro lado, uma extraordinária homogeneidade cultural. Com efeito, um brasileiro qualquer, dos antigos, está armado de genes tão variados, vindos de tantas partes, que um geneticista competente e com tempo suficiente, pode tirar dele crias de todas as raças. Por igual, quem percorra o Brasil, verá em todos os quadrantes a mesma gente falando a mesma língua, sem qualquer variação dialetal, jogando futebol no mesmo estilo, comendo habitualmente seu feijão-com-arroz. Só nos diferenciam algumas poucas variações regionais que respondem por condições ecológicas diversas, ou as marcas que ficaram da concentração maior de gentes de certa procedência aqui e ali.

Nas últimas décadas esta uniformidade aprofundou-se ainda mais, com o rádio e a televisão que vem fazendo toda a gente falar com o sotaque carioca, vestir-se com a falta da graça dos paulistas, ou consumir os mesmo eletrodomésticos, enlatados e outros produtos industriais.

Para não se dizer que sou indiferente à vaidade provinciana, registro aqui que são reconhecíveis certas paisagens típicas e certos hábitos regionais. Principalmente a Amazônia Florestal, com seu povo de feição indígena, cor de telha, que mantém, bem viva, uma culinária própria, originalíssima.

No Nordeste não há como desconhecer que há duas culturas. A do Sertão Semiárido, de gente seca de carnes, gastadora de rios de cuspe para comer paçoca de carne de bode, muito apimentada. E a Bahia Gorda da área dos canaviais, que é uma África Brasileira, pelos temperos, pela alegria álacre e pela suntuosidade dos candomblés. No Centro do país há de tudo e nada é distinguível. Senão, talvez, a duvidosa casmurrisse dos mineiros, a celebrada preguiça dos goianos; a modernidade, sem-cara, dos brasilianos; ou a invejada boa-vida dos cariocas. Todas questionáveis. O Sul começa em São Paulo, que quer ser uma Milão, e guarda marcas itálicas ainda visíveis, mas em caminho de se dissolverem logo, debaixo do alude nordestino. Prossegue, daí para baixo, em ilhas de europeidade, reconstituindo, caricaturais, antigas paisagens alemãs. Nelas vive uma gente brancarrona, que gosta de se exibir chupando chimarrão em cuias imensas ou se vestindo de gaúchos nos feriados cívicos. O mais bizarro que se encontra ali são catarinenses cantando, em antigo alemão dialetal, velhas canções boas de cantar tomando cerveja em canecões de louça.

O que prevalece mesmo, inegavelmente, é a homogeneidade cultural brasileira, fruto da brutalidade de nosso processo de formação histórica que se realizou sob as pressões terríveis da escravidão. Foi convertendo pessoas em coisas possuíveis, negociáveis, sobre as quais os donos tudo podiam, que se conseguiu fazer dos índios, dos africanos e dos imigrantes, gente sem cara própria. Sua língua materna se substituiu. Seus hábitos se transfiguraram. Seus gostos se deturparam. Para as necessidades da produção nada melhor do que este ser humano despojado de consciência própria, refeito para operar como um robô. Assim é que se entende por que países como a Alemanha, a Itália, a França ou a Espanha guardam em seu seio blocos populacionais típicos, com falas dialetais e costumes exóticos, que no Brasil inexistem.

Somos o fruto de gentes desfeitas. Em qualquer lugar que você cave aqui, pode ser que encontre alguns cacos de cerâmica indígena, é incerto. O certo é que esta cerâmica será seguramente melhor do que a que se produz ali, agora. Também os negros africanos desfeitos na mó da escravidão, eram entes culturais mais ricos e criativos, quando estavam lá. Os portugueses e os imigrantes tardios, por igual, se empobreceram culturalmente, aqui. Todos juntos, agora, acumulamos forças para saltos futuros da criatividade cultural, que aqui hão de florescer.

Este processo, operando por séculos, promoveu a deculturação de nossas matrizes, simultaneamente com sua reculturalização. Já no primeiro século, aquela humanidade tornada maleável pela escravidão se foi modulando como um Povo Novo, diferente de suas matrizes, mas que começava a reproduzir docilmente a matriz portuguesa.

As línguas indígenas só sobreviveram faladas nas zonas mais inacessíveis ou mais pobres, sobretudo a língua tupi-guarani, falada antes em toda a costa atlântica. O português se impôs, primeiro, foi nas áreas ricas da região açucareira do Nordeste, ou aurífera das Minas Gerais.

O negro e o índio, brutalizados, animalizados pela escravidão, se reumanizavam lentamente. Aprendendo a compreender os gritos do capataz, adquiriam uma língua para falar com os companheiros, oriundos de gentes diversas. Desses núcleos de população predominantemente escrava é que o português se difundiu e acabou se impondo. Um português remarcado de singularidades porque falado por bocas negras. Uma fala doce, tão contrastante com a dureza do linguajar lusitano e tão parecida, pela entonação, com a língua que se fala em Angola ou Moçambique.

Submetido às durezas da escravidão, o negro pouco pôde transplantar de toda a riqueza cultural que trazia. Ainda assim, remarcou a cultura do Povo-Novo que ajudava a construir com aquilo que tinha no fundo do peito. Um sentimento singular do mundo, um modo musical rítmico, crenças e práticas religiosas e, sobretudo, uma boca boa de comer pimenta e de improvisar pratos deliciosos. É o caso da feijoada brasileira que o negro fazia cozinhando feijão com o que o patrão não comia: o focinho, as orelhas, o rabo e as patas dos porcos que se sangravam no engenho e na mina.

O índio, filho da terra, se imprimiu mais fortemente na cultura do Povo-Novo. Deu os nomes e a sabedoria dos lugares, dos rios, das plantas, dos bichos. Deu, principalmente, uma copiosa sabedoria milenar de sobrevivência nos trópicos, como caçadores e pescadores, e como cultivadores de milho, de mandioca, de batatas, de feijões, de amendoim, de tabaco, e de muitíssima coisa mais. Deu ainda uma mitologia bela que o mundo um dia conhecerá e uma predisposição ao convívio livre e solidário que havemos de recuperar.

BARROQUISMOS

Sobre este tronco índio-negro de nossa árvore cultural, se alçou e floresceu a galharia e a fronde, vinda da matriz portuguesa. A primeira igreja que se levantou aqui era já barroca. À sombra dela, os nativos e os recém-chegados foram aprendendo a fazer tijolos e telhas, tamancos e chapéus, roupas e sabão de lavá-las, cachaça, cachaça...

Aos poucos, esta cultura colonial foi se estruturando como uma configuração viável, capaz de dar à gente da terra que ia se fazendo brasileira, aquilo que humaniza e dignifica um grupo humano. Surgia, assim, uma filial ultramarina da cultura portuguesa, variante quase africana da civilização ocidental cristã, um tanto contaminada de arabismos.

Para isto, uma parcela ínfima de toda a riqueza enorme que se produzia aqui se reteve, ensejando os primeiros florescimentos de nossa civilização. Ela começa a expressar-se em cidades edificadas em lugares previamente determinados pela vontade do colonizador, que se conformam segundo plantas e instruções vindas de Lisboa. Surgem e crescem, depois, onde o ouro abundava, como uma civilização já brasileira, servida por artesãos e por artistas de obra fina que proveem boa música sacra e criam uma arquitetura, uma pintura e uma escultura expressas num barroco tão alto quanto qualquer outro não romano. Tudo isto para dignificar e enobrecer a vida de nativos ricos, mas dando ao povo pelo menos a participação de expectadores boquiabertos das celebrações religiosas, suntuosíssimas, dentro e fora de igrejas maravilhosas.

Aí estão como fruto e produto maior da criatividade colonial, as igrejas de Ouro Preto — essas admiráveis joias barrocas — as da Bahia e do Recife — portentosas — além de numerosas fortalezas territoriais e marítimas de cantaria bem lavrada, que guardavam a galinha dos ovos de ouro.

Quando Napoleão invadiu Portugal, era já evidente para a realeza lusitana que o patrimônio a guardar era o Brasil e não a metrópole. Largaram-se de Lisboa e numa noite e um dia, o Rei e seus familiares e fâmulos — umas dezoito mil pessoas embarcadas em navios próprios e ingleses — vieram para cá. Foi a segunda invasão do Brasil.

Esta gente aqui ficou e logo se fez titular das sinecuras e proprietária de quase tudo que tivesse valor. Era toda uma casta dirigente transplantada que nos trazia muitas contribuições, principalmente uma malícia política imensa para reger e mandar, formada que fora na primeira nação européia que se estruturou como um estado nacional. A esta sagacidade devemos, talvez, a unidade do Brasil. Em lugar de nos balcanizarmos, como ocorreu com toda América hispânica, o Brasil se manteve íntegro debaixo do poder legítimo do rei português que se impôs com canhões e anistias a todos os revoltosos nativos que queriam uma independência autêntica e por vezes até uma república democrática. Aquela casta trouxe também seus corpos cartoriais e de gestores com que passou a intermediar aqui mesmo os negócios de exportar e importar escravos, fazendo o sistema econômico produzir o que o mercado europeu requeria.

A fraqueza maior dessa elite lusitana foi trazer de contrabando um francesismo doentio, que logo importou uma missão cultural, introduzindo o neoclassicismos, no Brasil. Rompeu-se aí o nervo de nossa criatividade barroca e nunca mais se fez uma igreja bonita no Brasil. Pior ainda foi sua submissão servil aos ingleses, que logo fez do Brasil um mercado mais lucrativo para Londres do que para Portugal. Aos ingleses se somaram e depois sucederam os norte-americanos, fazendo do Brasil sua área de negócios da China. Até hoje superexplorada, com a participação de nosso patronato nativo, encantado de servir a estes novos amos.

RAÇAS E CLASSES

Neste quadro, hoje como outrora, o papel dos brasileiros era e continua sendo o de produzir o que não consomem, num país que jamais se organizou para seu próprio povo, nem sequer levando em conta suas necessidades mais elementares.

Quem duvidar que vá a uma fazenda brasileira, de qualquer lugar do país. Ali poderá testemunhar a preocupação imensa do vaqueiro principal ao ver que o touro do patrão está doente. Sairá desabalado para a cidade a procura de veterinário; não o encontrando, buscará à porta do médico; para aviar a receita, arrombará farmácia, tão preocupado estaria em salvar a vida do rico touro do patrão. Depois, poderá ver como o tal vaqueiro reage a uma doença de sua mulher ou de seu filho; tomará um chá e rezará um ladainha a Nossa Senhora do Perpétuo Socorro. Este caso exemplifica como e quanto o brasileiro, espoliado de mil modos, sofre uma espoliação ainda maior, que é a de sua consciência. O patrão se meteu dentro de sua mente, fazendo dele um alienado. Ele sabe, de certeza certa, que é a coisa mais reles do mundo, incomparavelmente inferior a qualquer bicho que valha dinheiro. Ele não vale nada.

Se esse brasileiro é negro, a coisa fica pior, porque uma alienação mais grave ainda o leva a detestar também sua própria cor, envergonhado dela. O padre alemão de uma cidade mais preta do que branca, do Nordeste do Brasil, teve de atender a seus fiéis que lhe pediam para não falar mais de negros ou pretos dentro da igreja. Ponderaram que Deus já os havia castigado demais lhes dando a pele escura que tinham. Dentro da igreja, queriam ser tratados como se fossem brancos.

Tal é o racismo brasileiro, um racismo internalizado, instalado dentro da consciência dos negros, forçando-os a se manterem no lugar onde o branco os coloca, humilhados e inferiorizados.

Este racismo impregna e suja de mil modos a consciência nacional. Por exemplo, faz os brasileiros suporem com alegria que o Brasil, amanhã, será um país de branco, porque com a mistura de raças irá se branquizando cada vez mais. Tola ilusão, pelos censos nacionais de 1940 e 1980 se verifica que os "não brancos" aumentaram quase 10%. E vamos continuar sendo, cada vez mais, um povo mestiçado na carne e no espírito, com imenso orgulho disso. Orgulho que ainda falta a muitos brasileiros.

Uma outra característica positiva, talvez do racismo brasileiro é seu pendor assimilativo — oposto ao que inspira o *apartheid* — e sua aguda percepção das diferenças de matizes de cor. Tanto é assim, que toda miscigenação é saudada, que o preconceito incide tanto mais, quanto mais acentuadamente negra é a tez, e que se admite francamente que o negro ao enriquecer embranquece. Vi esta postura num pintor negro, de sucesso, que consolava outro preto que ainda lutava para ascender socialmente, dizendo que compreendia seus problemas porque ele também, no começo da carreira, tinha sido negro.

O espantoso é que ao índio nunca se conseguiu convencer de que seja um ser inferior. Enquanto isolados, se acham a melhor raça de gente que há. Quando alcançados pela fronteira da civilização e incorporados, a seu pesar, no sistema de mercado, muitas vezes caem na mais vil pobreza, mas nunca no desencanto de si mesmos.

Acharão que Deus está dormindo, doente ou bêbado. Talvez até tenha morrido, para que sucedam desgraças tais, contra a natureza das coisas. Creio que isto se explica porque se trata de índios que nunca passariam pela mó da estratificação social, especialmente da escravidão. Ela é que apodrece a dignidade humana, coisificando pessoas socialmente categorizadas como superiores e inferiores, patrões e escravos ou empregados.

MODERNIDADES

O povo brasileiro, produzido por essa mó da estratificação escravista, se vê imerso numa cultura intrinsecamente espúria. Tamanhamente que atribui ao negro e ao pobre a culpa de sua própria ignorância e miséria; cega que se faz para a evidência de que, aqui, o inferior, o ruim, não é o povo ignorante, mas a elite, rica, educada, refinada, que sempre organizou a produção e a vida social em seu próprio benefício, indiferente ao destino do povo.

Assim foi no passado, frente à escravaria gerida como um estoque energético que se mantinha e renovava pela importação de novos escravos. Assim é, hoje, com fazendas produzindo milhões de toneladas de soja para engordar porcos na Alemanha, ou frangos no Japão, mas deixando de produzir o feijão que o povo come, porque é menos lucrativo.

Nada melhorou para o povo trabalhador quando ingressamos na civilização industrial, pela via da atualização histórica, regida pelas empresas multinacionais. O efeito alcançado parece espetacular quando constatamos que o Brasil tem, hoje, mais indústrias do que tinha a Inglaterra antes da última guerra mundial. Tratando-se, porém, de uma industrialização reflexa, que não é capaz de gerar a transformação social do país, o que faz é perpetuar o subdesenvolvimento e acentuar nossa dependência externa.

Nossa economia assentada nesta industrialização recolonizadora e na manutenção da economia exportadora de gêneros tropicais e de minérios, hoje como ontem, gera imensas riquezas. Riquezas, porém, que não ficam aqui e, quando ficam, não alcançam as mãos que as produzem.

Esta deformidade é que fez o Brasil, com toda sua pobreza, operar no pós-guerra como um dos maiores exportadores de capitais, tão grande é a diferença entre a quantidade de divisas que aqui entram e a que daqui saem, pagando juros de uma dívida gigantesca que aumenta cada vez mais, inflada pelo caráter intrinsecamente pervertido do intercâmbio comercial e financeiro que mantemos com os países ricos.

Nós somos a demonstração mais eloquente da grande incógnita das teorias do desenvolvimento: explicar como são hoje tão pobres as antigas colônias mais ricas e mais cultas. Os Estados Unidos, por exemplo, nunca produziram riquezas comparáveis às nossas em produtos tropicais de exportação, em ouro e minerais raros, como também nunca erigiram cidades suntuosas como as do Brasil; no entanto, hoje somos áreas de extrema pobreza, enquanto países menos dotados — como os EUA, o Canadá e a Austrália — progrediram. Esta incógnita se prolonga até nossos dias, indagando por que em áreas como o Brasil a economia nativa, sendo tão próspera para seus gestores, é tão sovina para seu próprio povo? Este é, aparentemente, o destino manifesto de países estruturados historicamente como proletariados externos que jamais chegam a existir para o seu povo, enquanto não impedem o passado de conformar o futuro, quebrando a hegemonia das velhas classes dominantes.

DARCY RIBEIRO
SÍNDROME DE CALCUTÁ

De 1900 para cá [1987] a população brasileira cresceu de 17 para 140 milhões e ameaça continuar crescendo desmensuradamente.

Logo no começo do próximo milênio seremos 200 milhões, o que não é muito para uma nação de território tão grande. Mas assusta demais às castas dirigentes. E é mesmo de preocupar se crescermos dentro da estrutura econômica que aí está. Às vezes comparo o Brasil a um bezerro posto ao nascer numa jaula de ferro e que cresce dentro dela, pregando o nariz no rabo.

Com efeito, não podia ser mais catastrófica a expectativa de um Rio de Janeiro, de 16 milhões ou de São Paulo, de 25 milhões no ano 2000. Elas constituirão novas Calcutás, em que os pobres viverão na rua morrendo de fome, e os ricos viverão apavorados em campos de concentração, aramados, eletrificados e superarmados, morrendo de medo dos pobres.

Para isto caminhamos e nada se faz de positivo, até agora, para enfrentar esta ameaça. Senão um programa riquíssimo de esterilização das mulheres pobres, pago pelos norte-americanos. Seu propósito é congelar a nossa população, não em consequência de desenvolvimento, como tem ocorrido no mundo, mas em lugar do desenvolvimento. Aqueles duzentos milhões são, entretanto, inevitáveis, e apenas mantêm nossa proporção dentro do plantel humano.

Para que não sejam nenhuma ameaça bastaria abrir as bases da economia para que toda a nossa gente possa ingressar no mercado como produtores e consumidores. Não é isso, porém, o que nossas classes dirigentes se propõem a fazer para salvaguardar seus próprios interesses. Elas são tacanhas e mesquinhas, prometem como façanha maior recuperar, nos próximos anos, os 120 dólares mensais de salário-mínimo que tínhamos em 1963 e que foram reduzidos a 40 dólares. Salário-mínimo este que a maioria dos brasileiros, homens e mulheres, não alcançam ganhar mensalmente.

Há, obviamente, outros modos de ver esta questão. Um deles é reconhecer que nossa economia está tão sabiamente organizada em benefício dos ricos que aqui se saúda como "milagre econômico" o mais prodigioso enriquecimento dos ricos, simultâneo com o mais perverso empobrecimento dos pobres. Isto se prova com números, examinando a participação de uns e outros na renda nacional, de 1960 para 1980, que registrou os seguintes índices: os 25% de brasileiros mais pobres viram sua participação reduzida de 3,4% para 2,6%, enquanto os 5% mais ricos, tiveram sua parcela acrescida de 28,3% para 37,9%.

Estes números medem, de fato, a aceleração da industrialização recolonizadora feita pelas multinacionais e a manutenção de estrutura fundiária em que 1% dos proprietários são donos de 45% das terras, que não cultivam nem deixam cultivar. Esse é o caso da Volkswagen, por exemplo, que no Brasil além de fuscas produz zebus, e para isto tem na Amazônia uma fazenda de 400.000 hectares de terras.

Neste momento estão reunidos 500 parlamentares eleitos na eleição mais corrupta que tivemos, com o encargo de redigir a nova Constituição do Brasil. Várias são as questões basilares que estão colocadas diante deles. Entre elas, a defesa da ordem civil e da soberania popular, expressa em eleições livres, de modo a nos livrar do medo de novos golpes militares e sua sequela de repressão, de tortura e de assassinatos políticos. Lamentavelmente, não vejo nenhum sintoma de que os constituintes estejam preocupados com isto. Mais do que golpes militares, eles parecem temer movimentos populares que exijam reforços estruturais.

Outra questão básica é inscrever na Constituição o princípio de que a ninguém é lícito manter a terra improdutiva, por força da propriedade. Vale dizer, criar bases institucionais para fazer dos imensos latifúndios improdutivos um fundo de colonização que permita distribuir milhões de hectares de terras em granjas familiares a brasileiros pobres que queiram cultivá-las. Não para aumentar a produtividade, mas tão somente porque essa é a forma mais barata e eficaz de ocupar e integrar no mercado essa imensidão de gente famélica que o sistema econômico não consegue empregar. Desafortunadamente, temos de admitir que não há nenhum indício de que os constituintes resolvam essa questão. Ao contrário, eles parecem propensos a onerar mais ainda as condições de desapropriação dos latifúndios.

Uma terceira questão básica, igualmente desatendida, é a de impor controles sobre os capitais estrangeiros, proibindo que continuem contabilizando como dólares o seu crescimento que aqui se faz em cruzeiros, para obrigá-los a viver o destino dos capitalistas nacionais. Medidas similares se impõem quanto ao capital bancário, que requer uma regulamentação severa a fim de que não contribua tamanhamente para a inflação e para a corrupção. Nada se fez, porém, neste campo. Continuam apelando unicamente para o confisco salarial como tática de ação anti-inflacionária, vale dizer, condenando o povo a sofrer mais fome.

Outra necessidade imperativa é o fortalecimento do Estado, a fim de que se capacite a cumprir tarefas elementares como a de dar boas escolas a todas as crianças, garantir assistência médica a quem dela careça e assegurar justiça justa e barata ao povo. Também aqui minhas esperanças são apoucadas, tamanho é o espírito privatista e antiestatista que se apoderou dos constituintes.

Esta realidade é dolorosa e me constrange retratá-la. Isto é, porém, o que tenho eu, o que temos que fazer, que não nos consolamos de ver nossa realidade tal qual ela é, antevendo tudo o que ela poderia ser. Herdamos, eu disse ao princípio, uma província prodigiosamente bela e fértil. Nela cresceu um povo com imensa vontade de felicidade e capacidade de alegria. Não precisamos de nenhum capital estrangeiro, de nenhuma técnica de fora para organizar nossa vida de forma a fazer o Brasil florescer como uma civilização criativa e como uma sociedade solidária. O único empecilho é nossa classe dirigente, medíocre e mesquinha.

A dor que mais me dói é envelhecer temendo que os jovens de hoje tenham que repetir, amanhã, que o Brasil é um país que ainda não deu certo.

IVY-MARÃEN: A TERRA SEM MALES, ANO 2997

PIING E EU — meu nome é Olav, ele é chino, eu escandinavo — estamos voltando de uma longa viagem ao que era o mundo tropical americano. Não só tropical e florestal, porque lá há, também, extensos altiplanos gelados e imensas savanas semiáridas. Hoje é quase tudo o mesmo, porque lá também o clima deixou de comandar os homens. Vive-se bem por toda parte.

O mundo que mostramos detalhadamente, para ser visto por toda gente, através dos sistemas mundiais de comunicação, é hoje, chamado Ivy-Marãen. Palavra antiga da língua tupi-guarani, que significa Terra sem Males. Mil anos atrás, na virada do segundo para o terceiro milênio, esse nome designa certas áreas da costa de Santos, em São Paulo, e de São Luís do Maranhão, onde os índios queriam chegar para alcançar a morada de seu deus Maíra, onde viveriam eternamente. A crença era de que, se viajassem sob a condução de seus *pays*, ou sacerdotes, rezando e dançando por muitíssimas noites, seus corpos se tornariam tão leves que, olhando o Ivy-Marãen, levitariam para ir e viver lá. Era a reação desses índios, que haviam sobrevivido a meio milênio de perseguição, ao medo de estar chegando a hora de seu extermínio.

Hoje, Ivy-Marãen designa toda a macro-nação que ocupa a América do Sul, nas extensões onde antes existiam o Brasil, as Guianas, a Venezuela e a Bolívia, o pequeno Equador, a Colômbia, o Chile, o Peru, a Argentina, o Uruguai e o Paraguai. Suas designações, às vezes bizarras, como a gente da prata, da linha do Equador, ou de Bolívar, deram lugar a esse nome único, abrangente e belo.

O nome Ivy-Marãen corresponde à morada de um povo só, os ivynos, unificados pela fusão de suas raças originais, pela língua que falam e uniformes também em sua cultura como produtos que são de um mesmo processo civilizatório.

Constituem um bloco de cerca de dois bilhões de gentes, que é o que corresponde aos neolatinos no conjunto da humanidade, ao lado dos pan-chineses, dos árabes, dos eslavos, dos indianos e dos neobritânicos.

Nossa curiosidade era imensa de ver e mostrar ao mundo esse fruto da latinidade romana, gerado pela rama ibérica, a única que se multiplicou prodigiosamente.

AMAZÔNIDAS

Desembarcamos na cidade de Belém, na boca do Amazonas, trazidos por um dos grandes aviões intercontinentais que diariamente derramam ali muitos milhares de pessoas e carregam de volta outros tantos. É um aeroporto importantíssimo, porque se abre tanto para quem quer subir o curso do Amazonas como para quem quer descer numa bela viagem aquática até Buenos Aires, através de rios e canais.

Retiramos da nave nossa embarcação, que veio desmontada, e a transportamos para um canto da pista. Ali mesmo demos as ordens para que ela própria se remontasse. É um veículo admirável pela sua flexibilidade e pela sua doce obediência aos nossos comandos verbais. Alevantam voo para mostrar um pedaço de floresta que queiramos ver do alto, ou baixam, para tornar acessível e visível até a raiz das grandes árvores. Nele moramos, tendo ali todos os serviços de um hotel sem empregados, mas com pronta atenção a cada um de nossos desejos.

Primeiro demos uma revoada geral sobre a ilha de Marajó, os rios que a formam e as matas que a circundam, na esperança vã de ver uma pororoca que a previsão do tempo não registrava, mas que desejávamos demais presenciar. Apenas conversamos com o mundo de nossos espectadores, mostrando a massa descomunal de águas que, atraída pela Lua, levanta-se da terra para o céu, e mostramos fotos e filmes registrados por outros pesquisadores. O que ficou para nós, impresso para sempre na memória, foi o fulgor e a exuberância da floresta amazônica, sua diversidade incomparável de espécimes e seu silêncio espantoso. Só vibra e fala ao amanhecer e na boca da noite, quando todos os bichos — macacos, pássaros, aves e insetos — clamam suas vozes com medo da noite que vem e encantamento pelo dia que retorna.

Subimos depois pelos grandes afluentes do Amazonas para ver e conviver com a gente feliz que lá está. Sua função principal é ver a mata viver e crescer com seus milhões de seres vivos e tudo registrar para a Lexomundo, que é a grande Universidade do mundo. Cuidam também de facilitar a vida da mata, só deixando tocá-la no que pode ser retirado sem prejuízo. Vivem em comunidades de amplas casas muito ventiladas, dispostas em círculo ao redor de uma grande casa-templo, que é sua comunicação com o mundo e seu centro de entretenimento e de estudo. Ali, quem sabe ensina tudo o que sabe a quem não sabe. Há comunidades dessas especializadas na cultura do saber botânico, zoológico e, sobretudo, ecológico, que estão sempre em comunicação com os centros de pesquisa lá de fora.

Mantém-se por um ativo trabalho criativo nos igapós da beira-rio e nas inúmeras lagoas. Nos primeiros, criam jacarés e dezenas de espécies de tracajás e muçuãs. Nas lagoas, criam e recriam todas as variedades de peixes ornamentais e comestíveis da Amazônia. O mais lucrativo, porém, são suas densas plantações de árvores frutíferas, que dão os sucos e polpas mais deliciosos que há: cupuaçu, bacuri, maracujá, açaí, pupunha, murici, etc. Tudo é planejado nas pequenas clareiras naturais do meio da mata ou à margem dos rios. Sua produção é exportada.

As comunidades assentadas nas terras de floresta alta dedicam-se também ao plantio de madeira de lei, como o mogno, jacarandá, etc. Plantam também bosques de castanheira, que com a nova tecnologia genética começam a frutificar precocemente.

Esse tipo de vida florestal e tão atrativo que chama muitos turistas a viver temporadas com eles, ajudando-os nas suas tarefas, mas proibidos de matar o que quer que seja. Em certas estações, quando a mata é mais vicejante e o clima mais ameno, moradores e visitantes vivem todos nus, só carregando, na ponta de uma vara que levam ao ombro, a máquina fotográfica e os objetos de que necessitam. Dormem na mata os casais, sós ou com seus filhos, encantados do que parece ser um retorno ao passado prístino, quando é de fato, a forma mais avançada de viver dos homens.

Não resistimos ao desejo de comparar a cultura desses caboclos à cultura francesa. A força cultural maior da França vem de sua capacidade de produzir muitos e bons queijos de cabra e excelentes vinhos, além de uma culinária refinada. Os caboclos produzem os sucos mais gostosos mas têm, além disso, uma culinária riquíssima, feita à base de carne de muçuã e de muitas variedades de peixes e de caças, cozidos num molho prodigioso chamado tucupi, que torna excelsa sua comida.

Como toda a gente, hoje em dia, leva no pulso seu comunicador universal, ninguém está sozinho. Instantaneamente se comunicam com qualquer pessoa em qualquer parte da terra e projetam sobre qualquer superfície, inclusive a casca de uma grande árvore, as imagens que querem ver. Embora tudo isso seja arquissabido, nossa teleaudiência mundial tudo acompanha, interessadíssima. Comunicam-se conosco através de nossos capacetes, cuja função é olhar e ver e ouvir e cheirar tudo o que olhamos, vemos e cheiramos, não só para comunicar instantaneamente como para registrar. Nosso trabalho é, portanto, leve. Piing e eu não fazemos mais do que aqui viver, convivendo com os amazônidas. O capacete é que capta e emite tudo. É também ele quem recebe e seleciona as inumeráveis mensagens que nos mandam de toda parte. Ficaríamos aqui para sempre, se atendêssemos à vontade de nosso público cibernético mundial, tanto a Amazônia os encanta.

Andando nesses mundos, ressaltam a nossos olhos tanto a beleza da mata como a de seus habitantes. As aves mais belas, elásticas e elegantes que se possa imaginar. Os pássaros mais canoros. A massa luxuriosa de insetos, zumbindo sob as árvores. Os bichos maiores, como antas, onças, veados, tamanduás, macacos. As numerosas cobras, imensas ou minúsculas, e a fauna inumerável das águas. O melhor, porém, é ver a beleza dos caboclos, a raça nova feita pela fusão dos índios com brancos e negros, que já alcançou uma uniformidade admirável e que constitui hoje uma das mais altas faces do humano. Além de sua beleza física, a alegria de viver e conviver que os anima e seu amor à pátria florestal fazem deles uma gente que vale a pena ver.

Piing conseguiu uma proeza de nossa embarcação. Através de comandos verbais cuidadosos, ela projetou para fora grandes braços flexíveis que nos permitiram pousar na fronde imensa de uma castanheira, que é a maior árvore da Amazônia. Lá ficamos de olhos abertos para aquele mar de folhas, vibrante de vida. Vista de cima, a floresta, a princípio, parece uma só, que se estende por todos os lados como no imenso mundo verdejante. Nossos óculos especiais, que permitem ver à distância, em detalhes, cada pedaço de mata, nos ofereceram um espetáculo maravilhoso. O próprio verde da mata varia enormemente de tons, chegando ao azul profundo. Mas no meio desse folhal ressaltam frondes enormes de cores que vão do cinza ao prateado. Outras são cor de sangue, rubras. Também há as frondes flagrantemente amarelas.

É também bonito de ver e sentir o ritmo milenar de vida da floresta. Árvores antiquíssimas, ainda verdejantes. Outras, empalidecendo, marcadas para morrer. Por baixo do manto florestal é insondável a trama de cipós, que descem das árvores ou sobem a elas. No chão, são lindos de ver os arbustos variadíssimos e arvorezinhas teimando para crescer com a nesga de sol que dificultosamente chega até elas. Lá sobre nossa castanheira demoramos todo o tempo possível, não que queriam nossos acompanhantes cibernéticos. Eles pediam que vivêssemos lá.

O INCÁRIO

Chegamos até as nascentes do rio Amazonas, no alto dos Andes. Lá pousamos em Machupichu, admirados por sua preciosa arquitetura milenar, primorosamente conservada. Era, originalmente, uma comunidade religiosa que reunia os sacerdotes que estavam sendo caçados pelos espanhóis. Ali rezaram por séculos pela revivência do Incário, que tinha sido avassalado.

As construções são edificadas ao redor de um templo de orações e sacrifícios, num altar cortado na rocha viva.

O que mais nos gostou de ver foi a reconstituição que seus cientistas fizeram das plantas cultivadas nos terraços de Machupichu. É inesquecível a beleza, o cheiro dessas plantas arcaicas, medicinais e ornamentais, cultivadas por milhares de anos, perdidas, mas que agora reverdecem.

O mesmo se dá com os povos do altiplano, repostos em sua identidade étnica original de incas e refeitos dentro da versão atual de sua velha civilização. É gente esbelta, de largos peitos, para respirar bem o oxigênio escasso das altitudes em que vivem. Sua figura é bela e severa, como a lembrar a decapitação de sua alta civilização e os séculos que se seguiram de compressão etnocida e furor genocida da colonização espanhola.

O processo de conquista da autonomia e autodeterminação foi uma luta secular, em que tiveram que destruir as cidades de Lima e de La Paz, que funcionavam como agências de cristianização e europeização dos povos do Incário. Afinal, tiraram de lá toda a sua gente, sobretudo as crianças e jovens, para refazê-los. Lá deixaram os que só sabiam ser euros, para viverem como quisessem nas praias do Pacífico.

Através desse esforço secular se refizeram para serem amanhã — já hoje — o que foram proibidos de ser. A partir de seu ser original, criaram uma nova civilização. Todos falam uma mesma língua local, desenvolvida a partir do quéchua e do aimara. Cultuam velhos hábitos, sua antiga culinária, orgulhosos de terem dado ao mundo, de novo, a presença do império incaico, tão ameaçado de desaparecer.

Sobrevoamos longamente suas velhas cidades, renovadas numa arquitetura inspirada em suas artes arcaicas. Visitamos também seus campos especializados na criação de lhamas, de alpacas e de vicunhas, que tratam com extremo carinho. Essa última lhes dá a lã mais sedosa, a melhor que há e a mais desejada do mundo como abrigos elegantíssimos feitos em suas cores naturais que vão do marrom ao ouro velho.

O mar dos neoincas é o Pacífico, sobre que se inclinam. É dele que tiram sua primeira riqueza, que são os frutos do mar — grandes, belos, suculentos, que só se encontram ali. O Pacífico, porém, mais que meio de vida, é seu espaço planetário, que os comunica com o vasto mundo oriental da Pan-China de mil povos. Toda essa gente, que é a metade da humanidade, se entende muito bem e se comunica com muita alegria. Uma função a que todos os pan-chinos se dão com o maior entusiasmo é atravessar seu mar-oceano estudando suas águas, suas correntes, suas fossas abissais com tal detalhe que não há, talvez, área melhor conhecida na Terra.

Os ivynos, na sua face não incaica, participam ativamente dessa luta pelo conhecimento do maior dos oceanos.

Todos os pan-chinos orgulham-se muito de serem o mesmo povo, que vinha variando desde a diáspora do começo dos tempos e que agora reencontra sua identidade original. Isso graças à nossa língua analógica, que todos os humanos aprendem desde criança. Seu aprendizado, de fato, é o patamar inicial da educação porque, em nossa língua comum, cada palavra significa, irretorquivelmente, por sua composição, a que coisa se refere. A um ente cósmico, morto. A um ser vivo, mostrando seu estágio de desenvolvimento. Aprendê-la é a melhor forma de classificar o mundo, em todas as suas variedades de coisas e entidades, da forma mais objetiva. Todos nós a usamos, mas naquele mundo transpacífico, de línguas locais faladas por milhões, é ela quem dá comunicação viável à multidão de povos que a habitam.

A língua analógica foi desenvolvida originalmente para que os computadores pudessem traduzir, em tempo real, qualquer língua a qualquer outra. O problema desafiou por anos os tecnólogos, que afinal encontraram a solução, com uma língua artificial para a qual cada outra pode ser traduzida instantaneamente e da qual possa expressar-se em qualquer outra língua.

Os homens continuam pensando em palavras, palavras que podem dizer verbalmente e que se podem, também, escrever foneticamente. Agora, entretanto, com uma liberdade e uma acuidade infinitamente maiores. Isso porque a língua analógica é expressável também em notas musicais que, em lugar de um texto, fazem uma partitura bela e compreensível. O efeito dessa musicalidade foi enorme sobre a poesia, que agora se expressa não só através de canções musicadas, mas também fazendo significativo o próprio desdobrar das linhas musicais. Resultou disso um reflorescimento da poesia, de que se ocupa quase toda a gente. E, sobretudo, a revitalização da poesia clássica. Em quase toda parte se ouve como som ambiente mensagens da nova poesia ou antigos textos dando a Dante, Shakespeare, Ezra Pound, Fernando Pessoa e Camões um enorme público de apreciadores.

A gente do altiplano é vidrada pelo fogo e pelos jogos. Dentro de cada casa têm sua lareira e recusam qualquer calefação. Fora, acendem grandes fogaréus públicos. Sua sensibilidade é extrema para o cheiro de fumaça da lenha que queimam, tanto quanto seu encantamento pelos estalos e pelo crepitar das labaredas.

Outra particularidade deles, que ganha fãs no mundo inteiro, são seus prélios esportivos de homens com lhamas. Não jogam com bolas, mas com tubos de borracha, que as lhamas seguram na boca e os homens levam nas mãos. Esse é hoje um dos esportes mais populares no mundo. Tanto que os neoincas cobram taxas para quem queira assisti-los. Os partidos que se defrontam e com que as torcidas se identificam são compostos de homens e lhamas, para que o esporte não se converta em guerra entre espécies.

PANTANAL

Chegamos afinal ao centro do continente sul-americano, de terras tão baixas que por um longo período do ano estão inundadas. Ali, os bichos e os homens seguem o ritmo das águas, aproximando-se do curso dos rios quando ela se recolhe e afastando-se dele quando refluem.

É o Pantanal. Os primeiros europeus o chamaram de Mar de Xaraiyes, em razão de sua enormidade de águas meio salobras. O devem ter visto na estação das cheias. No estio, soube-se depois, as águas fluem e refluem. O Pantanal é hoje um dos grandes jardins da Terra pela beleza e variedade de sua flora e de suas aves, peixes e mamíferos. É por isso um dos maiores centros internacionais de turismo fotográfico.

No meio daquele agual extensíssimo, encontramos gente vivendo em palafitas amplas e confortáveis, que cumprem duas ordens de funções em veículos semelhantes aos nossos e com instrumental adequado para mover as águas. Uns ocupam-se de deixar entrada livre aos grandes peixes que vêm do oceano Atlântico para ali desovar e se reproduzir. O ofício dos outros é fomentar o crescimento da fauna do próprio Pantanal. Tudo isso com o objetivo de fazê-lo produzir quantidades incomensuráveis de peixes que, descendo pelo rio Paraguai, chegam ao rio da Prata, que constitui assim o maior pescal que existe.

Gostamos de encontrar ali uma gente muito arcaica, mas refeita em suas potencialidade, que são os índios Kadiwéu. Contando com extensos campos de criação, cuidam ali de seus rebanhos de cavalos de raça e de gado vacum. É um espetáculo vê-los em seus cavalos, cuidando sua gadeira.

Esse povo foi o único da América do Sul que adotou o cavalo e aprendeu a criar vacas. Fizeram do cavalo uma arma de guerra, o que lhes permitiu criar um verdadeiro império. Dominavam todos os povos índios que iam das margens do rio Paraná até o alto Picomayo e lavavam seus ataques a Assunção, ao sul, e a Vila Bela, ao norte. Em toda essa vasta área, forçavam os povos agrícolas a lhes prover de alimentos e também de crianças de dois anos, que eles criavam para serem Kadiwéus, porque suas mulheres, como uma nobreza, negavam-se a partir.

Associados a seus irmãos Paiyaguá, especializados na navegação com canoas leves e ágeis, e, sobretudo com remos cuja ponta era uma lança, esses povos foram o adversário mais poderoso e combativo com que espanhóis e portugueses se defrontaram nas Américas. Toda essa energia guerreira ruiu, dissolvida pelo provimento de cachaça, que os levou à decadência. Só há uns poucos séculos voltaram a seu modo de vida de Índios Cavaleiros e a seu orgulho de si mesmos.

SULINOS

Do Pantanal descemos rio Paraguai abaixo até seu delta, no Rio da Prata. Lá nos cansamos de ver a multidão inumerável de pescadores que, vindos do mundo inteiro, lutam cada qual para fisgar peixe maior. O gozo de pescar é neles tão intrínseco e carnal que parece até uma propensão humana ineluctável. Seus barcos de mil formas, suas redes e anzóis de mil tipos peneiram as águas à procura de peixes, cada qual suspendendo, com orgulho, o que agarra. Barcaças já na boca do mar procuram recapturar em grandes redes o que os pescadores deixaram passar.

Em vez de lá ficar vendo tanta gente pescar, viajamos pelas redondezas. Do lado da antiga Argentina nos surpreendeu ver grandes criações de ovelha e de gado. O surpreendente é que os homens pouco cuidam de sua criação. Ela está entregue inteiramente ao que nos pareceram robôs. Vimos depois que são cães adestradíssimos. Eles conduzem os rebanhos daqui para ali, onde há menos frio e mais pasto, e já os entregam, peludas as ovelhas e carnudos os bois, para o consumo humano.

Na antiga Argentina deparamos também com outro inesperado, que é a propensão maníaca deles para a Matemática. Realizam congressos o ano inteiro, até nas ruas e praças, e apreciam os grandes matemáticos, deles ou estrangeiros, como deuses. Tive até uma ponta de inveja quando vi que, sabendo que quem ia comigo, Piing, era um grande matemático, puseram-se no seu encalço, pessoalmente ou através de nossos capacetes comunicantes, doidos para falar com ele. Piing atendeu uns quantos. Com eles passou horas, em diálogos de poucas palavras e muitos números e símbolos, discutindo preciosidades matemáticas. Tive que tirá-lo dali, porque nele também era visível o gozo daquele convívio.

Esses ivynos são impossíveis. Recebem cerca de um bilhão de visitantes por ano, mas ainda assim selecionam entre todos aqueles que querem conhecer melhor. Esse foi o nosso caso, feliz ou infelizmente. Piing teve que atendê-los, e gostou. Comigo também uns quantos quiseram falar, porque descobriram que eu sou um dos poucos homens que fez uma viagem extragaláctica. Meu capacete insistiu em que tudo o que eu sabia estava no Lexomundo, mas eles queriam entrar em comunicação pessoal comigo. Sobretudo os jovens. Nosso capacete zunia, esgotando sua capacidade de escutar, atender e registrar toda aquela imensidade de curiosos. Veja-se que ele pode comunicar-se com dez pessoas simultaneamente. Ainda assim não davam conta dos sulinos.

Fomos ter à chamada Banda Oriental, a partir da cidade de Colônia. Eu estava cheio de curiosidade para ver as plantações uruguaias de gado. Nada há, de fato, mais espantoso. Seus campos, antigamente cheios de vacas, agora são plantações que se estendem por todos os lados de um cogumelo negro, suculento e de cheiro insuportavelmente bom, que não aguentaríamos se não usássemos filtros nasais. Com esses cogumelos os uruguaios produzem, para exportação, deliciosos churrascos gaúchos, *baby beefs* argentinos, picadinhos mineiros à ponta de faca e mil outras iguarias que o mundo come deliciado, cuidando que vem da gadaria uruguaia.

Os uruguaios mesmo mal se deixam ver, e nossa curiosidade era enorme. Eles são os únicos homens que ousaram moldar a figura humana. Quando toda a gente deixou de fumar cigarros, depois de quinhentos anos fumando gostosamente, os uruguaios substituíram os cigarros de tabaco por novas formas de cigarro, que são alimentícias e têm muita vitamina. Fumando-os através dos séculos, alargaram enormemente seus peitos e afinaram a cintura. Isso porque passaram a usar o pulmão como a forma melhor de alimentar, porque põe fumaças substanciais diretamente em contato com o sangue, que as absorve *incontinenti*. Os intestinos, dado o pouco uso, se reduziram a tripinhas.

BENNINOS

Estávamos nós nos cogumeleiros quando deparamos com os visitantes do outro mundo. De repente, invadiram nossas mentes pedindo que nos acalmássemos. Nós olhávamos por todo lado e não víamos ninguém. Adivinhamos então que seriam os benninos.

Deles sabíamos tudo, mas nunca tínhamos tratado nenhum, mesmo porque eles não têm identidade própria discernível. Piing fez boas relações instantaneamente com eles, porque se comunicou abrindo a mente, e eles viram que valia a pena ler o espírito cheio de números de meu amigo. Ele conversou muito e aprendeu bastante dos extraterrenos. Vêm de Benn, um planeta redondo como os outros, da galáxia de Terêeh.

São um epifenômeno do ferro, como a ferrugem, tal como nós somos um constructo do carbono. Não têm seres individuais, o planeta inteiro é um só ser que pensa e se comunica. Vivendo num planeta feito quase só de ferro, têm nele sua fonte de energia. Seu espírito estava ali, surpreendido com o que os uruguaios conseguiram, domesticando aqueles cogumelos. Imaginavam que fossem comandados mentalmente, caso em que teriam também espírito. Mas não é assim. Os uruguaios têm que colher sementes, plantar mudas e substituir trabalhosamente cogumelos velhos por cogumelos novos. Eu sentia nos visitantes o desejo que tinham de cuidar daquela criação com suas mentes.

Não fomos nós que descobrimos esses extraterrenos. Foram eles que nos descobriram. Viveram séculos nos observando, incansáveis, sem se meter em nossas vidas. Eram invisíveis para nós porque se apresentavam fisicamente como simples rastros de ferrugem. Durante certo período, tiveram tamanho temor de que os homens matassem em guerra toda a vida no Planeta, que programaram a forma de vida posterior sobre a Terra toda contaminada pela energia nuclear. Felizmente não veio a guerra do fim da vida. Mais tarde, eles decidiram comunicar-se com a humanidade, quando a viram dar os primeiros saltos ao mundo exterior. Queriam advertir-nos de que não procurássemos aí por fora gente de dois ou três olhos, de nariz comprido e de orelhas de asno, semelhantes aos homens. Era perder tempo. A forma de vida mais avançada que encontraríamos era a deles próprios, os benninos.

Além do seu planeta natal, tinham um outro, colocado numa galáxia de posição oposta como um seu outro olho de observação do Universo. Chegaram a levar uns poucos homens sábios aos seus dois planetas, mantendo-os lá em campânulas voadoras, que lhes permitiam andar por onde quisessem e ver o que desejassem. Mostraram também aos humanos um planeta em que se desenvolveu um fungo fétido, mas com grande poder comunicante. Eles eram os seres mais capazes de desenvolver vida inteligente que os benninos encontraram mundo afora. Talvez por isso tenham chamado tanto a sua atenção os cogumeleiros uruguaios. Imaginavam que fosse outra forma vegetal de vida inteligente.

BRASÍLIA

Quiséramos visitar Brasília, mas já havíamos gasto muito tempo e já fôramos lá nós ambos. É de ver a capital de Ivy--Marãen, inventada há mil anos por um certo Lúcio como uma cidade intencional, feita para funcionar a serviço dos homens. Por séculos operou só para atender a burocratas poderosos, mas acabou se entregando a todos como um bem comum. Suas superquadras, arborizadas e floridas, suas moradas amplas e claras abrigam hoje enorme quantidade de gente, que gosta demais de viver ali. As cidades antigas, por bonitas que sejam, surgiram por acumulação no tempo. São irracionais e absurdas. Brasília floresceu primeiro na cabeça de um homem, depois foi plantada no chão do mundo pelo duro trabalho de milhões.

Na Era da Decadência, Brasília sofreu muito. Mas uma vez mais ascendendo à condição de capital de Ivy-Marãen pode reflorescer. Teve seus palácios primorosamente restaurados. Não cumprem função alguma, aparentemente. Só se dão à altíssima função de existirem para serem vistos em toda sua beleza.

A qualidade mais assinalável de Brasília, além de capital de Ivy-Marãen, é de centro principal da maior área do mundo iluminada fortemente pelo Sol durante o ano inteiro. Nessa base, assentaram-se ali cultivos de milhões de quilômetros de arbustos e árvores que, capitando a energia solar, proveem a maior fonte de energia pura com que a humanidade conta. Esgotados os combustíveis fósseis — o carvão, o petróleo, todos poluidores — chegou afinal a vez do combustível solar. Puro e eternamente renovável. Metade do Brasil, que era ocupada por cerrados de vegetação raquítica, floresceu como o mais amplo campo agrícola que existe. Ninguém imaginaria nos séculos anteriores que isso pudesse suceder, precisamente uma área que era tida como pré-desértica e em que toda a vegetação era escassíssima. Hoje, os campos energéticos de Brasília substituem o que eram as explorações de carvão e de petróleo.

O que mais agradou a nós dois, quando em épocas diferentes lá estivemos, foi a visita ao Templo Maior de Brasília, que funciona como o núcleo principal de controle do Lexomundo, que emite o saber humano para toda a Terra. Ali se alcançaram muitos avanços científicos, humanísticos e tecnológicos relevantes. Tudo isso faz de Brasília a cidade do espírito e de seu Templo a Universidade do mundo, que é a forma atual da Universidade de Brasília, criada há mil anos por um certo Darcy Ribeiro e que vem, desde então, se desenvolvendo.

Funciona hoje como um enlace de qualquer pessoa, de qualquer parte, que queira construir-se como um sábio. Quem o quer comunica-se por aparelhos ou por comunicação mental — se desenvolveu bem seus talentos para conectar-se e pedir orientação. É bem atendido e posto em contato com as pessoas mais capazes de ajudá-lo no seu campo de formação.

Como uma Universidade Virtual, sem alunos nem professores presentes, ela funciona através desses enlaces mundo afora. Escolhido o mestre e aceito como aluno, o estudante passa a trabalhar com toda uma massa de informações que recebe e na realização de programas de observação direta e expressão escrita da realidade, bem como no treinamento sistemático para pesquisas científicas. Ao fim desse período formativo, o mestre diz a seu discípulo que, já tendo a informação básica para pensar e o domínio da metodologia científica, se inscreva na Universidade como um novo mestre, aberto a seus próprios discípulos.

RIO

Das barrancas do rio da Prata voamos para o norte. Passamos uma boa hora na ilha de Florianópolis, que nos deixou experimentar a delícia de seus *coquis saint-jacques*, cozidos com maxixe e regados com a leve cerveja caseira que produzem lá. Voamos ali pela beleza da floresta de araucária restaurada, que cobre extensos campos e encostas. Lá, comemos entre os pinheiros gigantescos um cozido de pinhões com carne de capivara. Coisa fina.

Chegamos afinal ao Rio, terra do Sol, há mais de mil e quinhentos anos louvada como a província mais bela da Terra. Tão bela mesmo que os europeus que primeiro a viram indagaram do Santo Papa se a Terra Descoberta não era o Paraíso Perdido de que fala a Bíblia. Era natural seu espanto, que ainda hoje assombra a quem chega lá e vê uma imensa montanha de granito, coberta de floresta tropical, entrar mar adentro, formando ilhas e praias às mil. No alto da morraria de Angra dos Reis descemos nossa embarcação e lá ficamos a ver, encantados, entre as árvores, lá embaixo, o mar, recortado em praias ou marcado por ilhas verdejantes. Beleza pura.

Decidimos no Rio hospedar-nos num hotel, porque aquela é terra que sabe cuidar de turistas. Passamos a tarde deitados em redes, tomando uma bebida estranhíssima feita de aguardente selvagem, batida com rodelas de limão fresco e temperada com pitadas de sal e de açúcar. Nada há melhor para descansar uma pessoa. Na terceira dose, se está meio bêbado. Na quarta, passa a tonteira e se acende um apetite feroz, direcionado. Irresistível, para uma comida que já vem chegando. É feita de grãos de feijão preto cozido com carnes curtidas, que se come chupando fatias de laranja azeda. Pedimos mais, porque a coisa é deliciosa.

Deitados outra vez na rede, meio dormidos, vimos a parede à nossa frente tremer-se toda para deixar ver uma Escola de Samba que ali entrava para nós. As dançantes e os dançantes, tão vivos, saíam da tela para nos arrastar ao seu baile. A simpatia carioca e sua alegria se comunicaram inteiras a nós, que lá ficamos a dançar e a cantar a música rítmica brasileira. Gastamos todo o dia seguinte voando sobre as extensíssimas praias do Rio, vendo os turistas que lá acampam, baixando onde nos dava vontade e rindo com aquela humanidade variada, em estado de encantamento.

BAHIA

Partimos do Rio para a Bahia, a grande cidade negra. Negra? Tanta foi a mistura das raças que os baianos são claros. Quase como eu, com a diferença de seus belos narizes achatados e de suas duas bocas: a horizontal e a vertical, de lábios grossos, boas demais para beijar e para amar.

Os baianos têm um bumbum lascivo inconfundível. Mesmo quando estão calmos se sente bem seu ar orgiástico. Que será isso? Creio que é porque os negros assumiram tão carnalmente a visão indígena da vida como fonte de gozos que se entregam ao cultivo do corpo como o melhor que há a fazer. Será também sua conduta compensatória pelos séculos de escravidão que sofreram, proibidos de ser eles mesmos, gastos nas tarefas que lhe indicassem como um mero carvão. Talvez por isso os baianos não tenham nada do pudor casto ou das formas contidas de conduta de outras gentes. Acham tudo isso grossa besteira. Vivem é para viver, para tirar da vida o gozo que ela nos pode dar.

Visitamos seus templos de meditação e de feitiço. Até ali a luxúria se integra, impregnando a tudo e a todos. Baiano não é gente feita para o temor ao pecado. Seu reino é do gozo. Graças.

Passamos dois dias brincando de baianos, aprendendo com eles seu gozo de viver. Isso é o que fazem multidões de turistas que vão à Bahia aprender a ser gente humana, vivente. O espaço planetário dos baianos é o Oceano Atlântico e do outro lado a África, que não cansam de atravessar. Alguns deles se encantam tanto com o vigor da tribalidade que ainda se mantém em alguns povos da África, que neles se integram, mandando os filhos aos dois anos de idade viverem quatro anos lá para aprenderem a ter a dignidade do povo e da civilização negra.

PRAIAS MORNAS

Da Bahia fomos ter nos mil quilômetros de praias do nordeste de Ivy-Marãen, que parecem feitos para dar às pessoas gosto de viver. Percorremos lentamente aquela imensa costa marítima olhando tudo. Procurávamos as gentes antigas de lá. Só encontramos um grupo de pescadores arcaicos, que navegam mesmo em mar grosso com suas leves canoas feitas de troncos amarrados e servidos de uma vela de forma antiquíssima. Convivemos com eles um breve tempo, ouvindo suas histórias de pescarias miraculosas e de naufrágios. Eles guardam na mente cada barco que naufragou por ali, sabem o nome e a história dele, apontam o lugar onde está afundado, tudo como se estivesse ocorrido ontem.

O mundo já descobriu há séculos a beleza de Praias Mornas, e em todas as estações do ano lá estão grupo de gente de toda parte, arranchada à beira-mar. Não se trata aí da alegria cantante dos baianos, nem de sua lascívia. São gente calma, carregando no peito e na cabeça mais tristeza de viver que alegria, mas infinitamente talentosos para se deixarem queimar pelo Sol, dentro das águas mais deliciosas que há, mornas o ano inteiro. Raras pessoas, sobretudo nórdicos viciados nas friagens, não gostam. Um deles me disse que aquilo era tão horrível como tomar banho na sopa.

As Praias Mornas são a orla Atlântica de um vasto mundo interior de rica cultura: o antigo Nordeste, o antigo Brasil. Vale a pena visitá-lo para conhecer gentes que guardam nas caras sua dignidade e no espírito velhíssimas tradições. Ali ouvimos histórias de um jovem rei aloucado, que há mais de mil anos saiu com todos os outros nobres jovens para uma guerrilha de cruzadas e foi morto pelos sarracenos. Ainda hoje, aqueles nordestinos falam respeitosos daquele rei que para eles não está morto, mas encantado.

IVY-MARÃEN

O mais espantoso para nós e para nossos acompanhantes cibernéticos na vista a Ivy-Marãen é a completa integração de seu povo. Falando uma mesma língua, oriunda do mesmo tronco, e cada vez mais parecidos uns com os outros, isso apesar da enorme variedade de gentes que havia ali antes do invasor europeu chegar, e dos contrastes daqueles que vieram depois. Como tanta gente tão variada pôde fundir-se racial, cultural e espiritualmente para criar essa civilização tropical e mestiça?

Sabemos de todos os detalhes desse processo formativo. Nenhum povo foi mais detalhadamente descrito em seu surgimento e em seu progresso. Mas não nos cansamos de admirar como por caminhos tão ínvios, através de tanta violência genocida, de tanto terrorismo etnocida, se gerou esse povo uniforme e cheio de alegria de viver. Seria acaso o próprio sofrimento secular de gente avassalada e escravizada que lhes dá esse sentimento de necessidade de vida? Essa curiosidade acesa que se constata em toda parte de gentes que querem compreender o mundo e marcar seu lugar nele?

Outro espanto é a modernidade dessa civilização tropical, assentada na ciência mais avançada e na tecnologia de ponta, mas capaz de valorizar profundamente toda nossa herança humanística. Eles formam hoje, em 2997, um corpo de dois bilhões de gentes, uma das parcelas maiores da humanidade. Nela totalmente incorporada, orgulhosa tanto de sua singularidade como de sua capacidade de convivência alegre com todos os homens da Terra.

Os ivynos são os verdadeiros sucessores dos romanos, a antiga civilização que latinizou a Europa. São de fato filhos do mais fecundo dos povos romanos — o ibérico. Nenhum outro ramo europeu, exceto o inglês, se multiplicou tanto. E é aqui que multiplicou-se melhor, a meu ver. Não respeitando e conservando a velha matriz, mas a renovando continuadamente através da mestiçagem e da fusão cultural. Serão eles uma nova matriz da humanidade? Qual será seu futuro? A modernidade de Ivy-Marãen se expressa e se vê por toda parte de muitos modos, principalmente na sua capacidade e gozo de comunicação com o mundo. Diante deles qualquer ser humano merece respeito como ser único, que vale a pena conhecer e ouvir.

Usam incansavelmente seus comunicadores de pulso que intercomunicam todos os homens, mas a nenhum grupo acende tanta curiosidade como nos ivynos. São também um dos principais usuários do Lexomundo, enciclopédia do saber humano. Seus comunicadores de pulso não servem apenas para essa integração no mundo. Funcionam também como sistemas eleitorais, que permitem a todos os ivynos votar cada semana as inúmeras questões que são propostas, seja para a generalidade deles, seja para os habitantes de certa província. Tomam decisões sobre temas como o uso do sistema de propaganda, sempre mais propensos a aprovar programas que suscitem a solidariedade humana do que programas de vendas de refrigerantes.

Também em Ivy-Marãen o livro entrou em obsolescência. Só se veem nas mãos dos colecionadores, que gostam deles como raridades e objetos de arte. Quem gosta de ler com uma leitura à mão tem as *tabletas bizantinas*, em que o Lexomundo imprime instantaneamente o texto que se queira, com a tipografia que se deseja e no formato conveniente. Assim é que não se perdeu o hábito de manusear livros, mas o que se manuseia de fato é um belo artifício eletrônico.

Na base de seu constante esforço de autossuperação científica e tecnológica está um outro pendor generalizado. É o de estimular a criatividade artesanal e artística. Aqui não há, visivelmente, nenhum artista profissional. Toda gente, ou quase toda, faz artes, que podem se concretizar, por exemplo, na especialização no uso do torno de madeira, no fabrico de cadeiras, na tecelagem de mantas ou em mil coisas mais. Em cada casa que visitamos, o orgulho do morador era mostrar a beleza das coisas que tinha, dizendo de cada qual quem a fez e nela se expressou tão belamente.

O que mais nos espantou em Ivy-Marãen foi a negação de todas as mulheres a casar-se. Só aceitam integrar a comunidade a que chamam casamento bororo. Ele consiste em viverem juntas vida autônoma, num casarão, as mulheres de várias gerações que integram aquela comunidade. Lá recebem seus maridos e têm filhos, que pertencem totalmente a elas e crescem todos juntos, aos cuidados daquele enorme mulherio. Para os filhos, o pai não é mais que um namorado eventual da mãe, que ela pode mandar embora para a comunidade dele e arranjar outro na hora que queira. O importante, para as crianças, é o tio materno, que está sempre por ali, conversando com eles e participando ativamente da vida comunitária.

Essa família esdrúxula, que nem é família, surgiu do fracionamento da antiga família nuclear, quase sempre fracassada, em que os avós se convertem em sogros insuportáveis e as crianças eram de fato entregues a creches. O casamento bororo superou todas essas dificuldades e floresce belamente, com mulheres namoradeiras e felizes e filhos crescendo contentes.

BRASIL: TERRA DOS ÍNDIOS

A REGIÃO onde veio a se formar o Brasil era habitada por centenas de povos indígenas que falavam mais de mil línguas e dialetos não inteligíveis uns aos outros. Para se ter uma ideia desta diversidade, basta considerar que quase todas as línguas faladas na Europa — como o alemão, o russo, o francês, o inglês, o italiano, o português e o espanhol — pertencem a um só tronco linguístico: o indo-europeu.

No Brasil, havia mais de trinta troncos linguísticos. Éramos, como se vê, a Babel dos índios.

Os costumes, entretanto, não variavam tanto quanto as línguas. Isto por que as diversas tribos se comunicavam mesmo guerreando, e aprendiam muitas coisas umas com as outras. Assim é que se difundiram entre elas diversas técnicas, como as da lavoura, da cerâmica, dos trançados, dos tecidos, e também os temas de muitos de seus contos e mitos que transitavam de uma aldeia à outra, traduzidos para as várias línguas.

A subsistência das populações indígenas era conseguida, essencialmente, por dois processos. Primeiro, a coleta de frutos naturais, juntamente com a caça e a pesca, que eram importantes para todas elas. Segundo, a agricultura, que era conhecida de muitas delas. Para algumas, uma agricultura bastante avançada. Plantas como o tabaco, o amendoim, o milho, a batata chamada inglesa, a batata doce, a mandioca, o inhame, o abacaxi e dezenas de outras — que, originalmente, eram espécies selvagens da floresta tropical — foram domesticadas pelos índios. Nós ainda não domesticamos nenhuma, apesar de sermos donos da flora mais rica e variada do mundo.

Contando com estas fontes de provimento, através do trabalho coletivo, os índios viviam uma vida farta em que ninguém era pobre demais para não ter casa e comida; nem rico demais para que lhe sobrasse o que faltava a outro.

Os indígenas, porém, não tinham conseguido ainda uma estrutura política que os unificasse em grandes grupos capazes de ações coordenadas. Eram populações de nível tribal cuja cultura tinha se desenvolvido bastante — como se comprova pela sua agricultura — mas não haviam alcançado o ponto de estruturar um Estado. Quando um grupo crescia muito se bipartia, e formava duas tribos. Estas, se afastando e isolando-se cada qual em seu território, perdiam o contato e passavam logo a se hostilizar. Esta foi sua grande deficiência quando tiveram de enfrentar novos invasores superarmados, que eram poucos, mas organizados, coesos e determinados.

Alguns grupos indígenas, como os oriundos do tronco linguístico tupi-guarani, conseguiram extraordinária expansão em toda a região. Acredita-se, mesmo, que eles estariam em vias de criação de um Estado por ocasião da chegada dos portugueses, em 1500. De certo modo, os povos de língua tupi-guarani prefiguraram o Brasil de hoje. Assim é porque o invasor europeu, ao chegar, encontrou tribos destas línguas vivendo ao longo de quase toda a costa atlântica do Brasil, e ainda ocupando enormes regiões tanto na Amazônia como nas áreas hoje pertencentes ao Paraguai e ao Uruguai. Sua unificação política era, porém, uma mera virtualidade que não se concretizou. Cada tribo — tanto as tupis como as outras, enfrentando sozinha e desesperada o invasor, acabou sendo vencida e subjugada.

O primeiro efeito negativo da chegada do europeu ao Brasil foi a mortalidade que provocou nas populações indígenas. No Velho Mundo àquela época, proliferavam todas as espécies de pestes contagiosas: a tuberculose e outras doenças pulmonares, as enfermidades venéreas, a caxumba, o sarampo, a bexiga, as cáries dentárias, entre muitas outras pestes, assolavam as populações europeias, asiáticas e africanas.

Os índios, que não conheciam nenhuma dessas enfermidades, ao serem contaminados pelos invasores, sofreram enorme mortalidade.

Outra desgraça que se seguiu às enfermidades antes desconhecidas foi a escravização dos índios para trabalharem para o invasor. No começo, o convívio foi amistoso porque o europeu, querendo apenas trocar o pau-brasil ou mantimentos por bugigangas, não perturbou muito a rotina da vida indígena. Logo depois, porém, quando ele se sentiu seguro na terra — por ter aprendido dos índios o modo de sobreviver nela — e começou a abrir grandes lavouras de cana para a produção de açúcar, a guerra se tornou inevitável. Uma guerra de armas-de-fogo contra arcos-e-flechas. Os índios, débeis, porque incapazes de se unirem contra o invasor e debilitados pelas doenças de que eram contaminados, foram sendo vencidos e exterminados ou submetidos à escravidão. Mas muitos conseguiram escapar fugindo para terras mais ermas no interior, onde podiam sobreviver pelo menos até que lá chegasse uma nova onda de invasores.

Nós, brasileiros, devemos muito aos índios, a começar pelo território que ocupamos, no qual sucedemos a eles, quase sempre não lhes deixando terra nenhuma. Mas também lhe devemos alguns bens mais preciosos ainda. Primeiro que tudo, nossa própria herança genética, uma vez que a maioria dos brasileiros tem algum sangue indígena nas veias, quer dizer têm algum ancestral indígena. Além disso, lhes devemos o conhecimento, por eles acumulado, através de milênios, sobre as terras, os rios, as matas, e os animais destas regiões tropicais, tão diferentes da Europa, nas quais eles desenvolveram as técnicas de sobrevivência que nos servem até hoje como modo de prover o sustento. Devemos ainda aos índios os nomes com que designamos centenas de plantas e animais, e até seres sobrenaturais. Tudo isso faz com que a cultura brasileira tenha muito de indígena, o que a contrasta bastante com a matriz lusitana da nossa formação.

Para os índios é que o contato com o europeu não foi nada conveniente. Em primeiro lugar, porque viram interrompida sua linha própria de evolução cultural, que bem poderia ter florescido na forma de uma civilização diferente. A chegada do europeu paralisou abruptamente o seu desenvolvimento autônomo, obrigando os remanescentes das populações indígenas a fugirem ou a se integrarem na nova sociedade que se formava em seu antigo território, sob as condições mais penosas e adversas.

A redução das populações indígenas por efeito das doenças, da escravização, do desengano e da desmoralização que se seguem ao encontro com o civilizado é tão grande que, onde existiam 25 índios, depois de um século, só restava um. Este mesmo processo prossegue atuando até hoje, uma vez que cada tribo refugiada no interior tende a ser alcançada mais dia, menos dia, por uma nova fronteira da civilização que se estenderá até lá. Então, começa para ela, agora, em nossos dias, o mesmo drama. Primeiro, das enfermidades mortíferas e debilitadoras. Depois, a perda da liberdade de viver da única forma que sabem viver, que é aquela que aprenderam de seus antepassados. E, sobretudo, a experiência terrivelmente dramática da opressão que exercem sobre eles os invasores que querem tomar suas terras, escravizá-los, ou roubar suas mulheres e seus filhos, desmoralizar suas crenças e, por fim, convencê-los de que são bichos tão selvagens como as caças.

Em consequência de todas estas formas de agressão, a população indígena brasileira, que seria superior a 5 milhões de habitantes quando chegaram aqui os primeiros europeus, não passará hoje de 150 mil, ocupando uma área menor que uma milésima parte daquilo que constituía antes o seu território. E nem desta parcela ínfima os índios têm a mesma garantia de propriedade que é dada a qualquer fazendeiro sobre as terras de que se apropria.

Os efeitos do impacto da civilização sobre as populações indígenas são tão dramáticos e destrutivos que, sem qualquer dúvida, as tribos indígenas do Brasil que ainda sobrevivem desaparecerão, se não forem objeto de uma proteção específica e mais eficaz do que a presente, por parte do governo federal. Isto significa que ainda não se interrompeu a guerra secular de dizimação e opressão: continuamos matando nossos índios. É preciso parar!

BRASIL: A INDIANIDADE ORIGINAL

O Brasil é um país tão surpreendente que tudo aqui é coetâneo. Neste sentido, se pode dizer que nós não temos eras, nem idades. Tudo aqui ocorre simultaneamente. Vejam só: quem quer que viaje pelo interior do país, se viaja muito, acaba encontrando com um mundo igualzinho àquele com que se deparou Cabral. Lá está, no fundo das matas, o indiozinho pelado com a mesma inocência e na mesma desproteção com que o primeiro indígena viu o primeiro europeu que chegava. Para aquele índio, a nossa expansão representa uma ameaça tão mortal e tão fatal como o foi a invasão portuguesa para os que estavam na costa em 1500 e que desapareceram sob a avalanche chamada civilização.

O Brasil tem muito que ver com os índios. Afinal, nós viemos deles. Não só os sucedemos no mesmo território, mas nos construímos sobre os seus corpos, uma vez que a população brasileira é, em grande parte, oriunda da mestiçagem de uns poucos europeus com muitas mulheres indígenas. Os índios é que não tem nada a ver conosco. Eles estão é na raiz da aventura humana. Eles são, de fato, remanescentes da humanidade original. Daquela humanidade anterior à experiência mais dramática por que passaram os homens, a grande desventura que foi a estratificação da sociedade em classes sociais opostas e interdependentes de senhores e escravos, de patrões e empregados, ou de ricos e pobres.

Antes da existência das classes, toda a humanidade vivia uma vida solidária, igualitária, dentro de comunidades devotadas exclusivamente ao provimento da sua própria subsistência e à reprodução das suas formas tradicionais de vida. Ninguém explorava nem oprimia ninguém. A vida era farta e alegre.

As populações indígenas mais isoladas do Brasil, ainda hoje, são mostras destes modos humanos originais de existência, anteriores às classes. Ali não há diferença entre gente da cidade e gente do campo, porque não há cidades. Também não há diferença entre senhores e escravos ou patrões e empregados, porque não há escravos nem senhores. Toda gente vive solidariamente, e trabalha segundo um ritmo que permite, de algum modo, tanto prover a subsistência do grupo todo quanto realizar as potencialidades de cada pessoa.

Outra característica da indianidade original, expressa na vida das aldeias chamadas primitivas, é que lá não há nenhuma separação entre uma cultura erudita e uma cultura vulgar. Isto é, entre a cultura dos intelectuais, transmitida de forma escrita, e que dá lugar a artistas especializados, como os grandes escritores, os grandes compositores; e a cultura vulgar, folclórica, transmitida oralmente, e que dá lugar aos cantos populares e à criatividade geralmente chamada vulgar. O que há é uma só cultura singela, mas homogênea, com base na qual eles provêm a subsistência, organizam o convívio comunitário, explicam suas experiências e exprimem sua vontade e beleza.

À primeira vista, entre os índios tudo seria equivalente à nossa cultura chamada vulgar. Na realidade, não é bem assim. Cada índio é muito mais capaz de apreciar o virtuosismo de qualquer membro da sua tribo do que qualquer um de nós é capaz de julgar um artista nosso. As técnicas que eles dominam são mais elementares, às vezes muito rudimentares mesmo, mas todos conhecem satisfatoriamente estas técnicas. Na cerâmica, por exemplo, não há ninguém que não saiba que a melhor ceramista da aldeia é fulana, e ela se orgulha muito disto. Mas todas as mulheres conhecem a técnica da cerâmica e fazem, uma vez por outra, um vaso ou um pote. A mesma coisa ocorre com os arcos ou as flechas, ou com qualquer outro artefato. O pouco saber existente sendo coparticipado não se presta a ser monopolizado nem para humilhar ninguém.

O mais importante, porém, é que lá as pessoas se imprimem nas coisas que fazem de uma forma tão característica como nós nos exprimimos pela caligrafia. Olhando a carta de um amigo ou de um parente, a gente sabe perfeitamente que foi ele que escreveu, porque sua personalidade está inscrita na caligrafia. O índio, olhando um arco ou uma flecha, é capaz de reconhecer quem fez aquele arco, quem fez aquela flecha, quem trançou aquele cesto ou quem modelou aquela peça de cerâmica. Isso porque lá as pessoas se imprimem também caligraficamente nas coisas que fazem. E como as coisas estão ali a denunciar quem as fez, cada um coloca muito mais vontade de perfeição nas coisas que faz do que seria necessário para que elas cumprissem seu fim útil. É orgulho de cada pessoa fazer as coisas com perfeição.

Por isso, andando nas aldeias, se pode ver cestos, reles cestos de carregar mandioca, ou simples panelas de cozinhar qualquer coisa, que são muito mais perfeitas do que seria necessário para cumprir seu fim utilitário. É que estes objetos não se destinam à mercantilização, não são mercadorias destinadas a serem vendidas e usadas por pessoas longínquas e desconhecidas. São, ao contrário, objetos personalizados, que estão a dizer, a denunciar, na sua forma, que fulana é muito zelosa ou muito desleixada, ou que fulano é um bom fabricante de flechas ou um relaxado.

Nestas condições, apesar de não contarem com técnicas muito avançadas nem com grandes artistas, os índios gozam muito mais da arte como expressão de uma vontade ativa e acessível de beleza do que nós, porque lá todos se expressam esteticamente no esforço diário de fazer ou de usar as coisas mais simples. Um corpo pintado de urucum para uma tarde de festa é uma obra de arte feita com o zelo com que um pintor pinta uma tela. E pouca tela terá sido tão louvada no nosso mundo, como um corpo primorosamente pintado é julgado e apreciado numa aldeia.

Entre nós, quem é herdeiro da música erudita ou da pintura erudita que só podem ser ouvidas e vistas em ocasiões muito especiais e que só podem ser apreciadas por pessoas especialmente treinadas? Os índios não têm nada disso; mas cada um deles tem o gosto de se expressar musicalmente de vez em quanto; e todos exercem sua parca capacidade pictórica ou simplesmente criativa em cada coisa que fazem, tirando mais gozo tanto do trabalho como do convívio social e da criatividade cultural e artística.

Por isso é que numa visita a qualquer aldeia isolada se encontram objetos de beleza tal que encantam cada visitante. É impossível deixar de ver a perfeição formal de uma panela, de uma peneira, de uma casa ou de um colar. Uma perfeição perfeitamente inútil, se poderia dizer. Mas a beleza é precisamente isso, é esta perfeição perfeitamente inútil que esquenta o coração e dá alegria.

Na vida indígena, o que se vê nas coisas mais simples é esta alegria de viver, esta vontade de beleza expressa de mil modos, por gente comum, que tem um contentamento que entre nós só é dado ao artista criador ou ao apreciador mais sofisticado das nossas altas artes inacessíveis ao homem comum. Lá, a criatividade está generalizada. Seria impossível ocorrer, por exemplo, numa aldeia qualquer, a situação de uma datilógrafa que passe os dias a bater à máquina um texto com que ela não tem nenhuma identificação senão como trabalho, um texto que outro escreveu e ela nem compreende. Lá, nenhum tecelão teceria um tecido segundo um padrão que outro desenhou. Isso não poderia ocorrer nunca ali. Lá, ninguém põe suor, ninguém põe esforço na tarefa insensata de reproduzir mil vezes, milhões de vezes, uma garrafa de coca-cola precisamente igual a todas as outras, sem nenhuma possibilidade de reinventá-la. Entre nós, o operário que reivindicasse seu direito à criatividade, pareceria um insensato. É uma loucura, diriam. É até um perigo que se pretenda fazer isso, desorganizaria toda a vida, acabariam com a civilização. Talvez sim; mas talvez também devolvesse ao homem a alegria de viver que nos falta cada vez mais.

A nossa capacidade de tudo estandardizar na produção industrial levou a esta situação em que já não há como ninguém se expressar no trabalho, personalizando as coisas para satisfação de quem as faz e também de quem as usa. Na vida indígena, ao contrário, apesar da sua aparente singeleza, se guardam valores culturais e morais que se tornaram inatingíveis para nós, por mais civilizados que sejamos ou queiramos parecer. Assim é que perdemos valores muito importantes substituídos por práticas utilitárias. Eles, entretanto, são insubstituíveis. Não porque sejam mais lucrativos para alguém, nem mais produtivos para ninguém, mas simplesmente porque fariam a vida mais grata e mais amável para todos. Entretanto, para falar a verdade, quem é que, entre nós, se importa realmente com a alegria de viver do simples trabalhador, do homem comum, da mulher, da criançada?

Na condição da indianidade original, onde ela por acaso sobreviva, em algumas aldeias perdidas no meio da floresta, ali e só ali, talvez, sobrevive esta vontade de beleza que está na raiz de todos nós e de que todos nós carecemos. Com a fartura e a igualdade da vida comunitária em que ninguém explora ninguém, perdemos também esta simples e elementar alegria de viver, sem a qual nenhuma existência humana vale a pena.

Esta é uma fome de que todos os homens participam. Ela é que se expressa, às vezes, nas utopias sobre o futuro, que são na realidade incitações não de retornar ao passado, mas de recuperar, no futuro, aquele exercício de vontade de beleza, aquela capacidade de cultivar a perfeição, que devolvam aos homens uma alegria de viver que se está murchando cada vez mais nas nossas grandes cidades supercivilizadas.

A principal lição da vida indígena é este exercício singelo, por toda a gente, de simples alegria de viver, de fazer, de comer, de beber, de dormir, de amar, que todo o mundo, lá, tem e sente. Quer dizer, aquela capacidade de viver a vida e de fazer as coisas com uma originalidade e uma espontaneidade que emprestam à existência uma beleza e uma dignidade que, para nós, parecem estar totalmente perdida.

Por que isto nos sucedeu? Qual é a causa desta perda desastrosa? Trata-se, talvez, de defeitos e de culpas oriundos de nossa própria tradição histórica, tão oposta à indígena. Com efeito, o invasor europeu, que colonizou as Américas em nome da civilização, vinha armado tanto de uma ferocidade social terrível, predisposta a perseguir e escravizar a todos, como de um obscurantismo cultural que induzia a ver em todo o gozo uma possibilidade de pecado e de perdição eterna.

O índio, ao contrário, concebe o corpo como uma dádiva do criador, que lhe foi dada para que, com ele, possa ver, ouvir e gozar a glória de viver. Por isso é que os heróis dos mitos indígenas, seus deuses, quando vêm ao mundo, vêm para participar da vida do seu povo. Vêm para as alegrias do exercício do corpo, para rever as cores, para cheirar os cheiros, para sentir os gostos. Vêm para usar as mãos fazendo obras perfeitas, que deem gozo a quem as faça, a quem as veja, a quem as toque.

BRASIL ÍNDIO, O PARAÍSO PERDIDO

Juntando invenções árabes e chinesas com inovações vindas de toda parte se cria, nas vésperas de 1500, esse invento que funda o Brasil: a nau oceânica. Um barco armado de canhões e provido de leme fixo, bússola, velame árabe, usando astrolábios e portulanos. Podendo navegar no mar oceânico, a nau descobre, desvenda e unifica os mundos.

Cria, assim, as bases da primeira civilização mundial. Neste dia nasce o Brasil.

O Infante Dom Henrique, que está atrás destes eventos — compõe a nau, mapeia a costa da África e lança Portugal no grande mar desconhecido —, acreditava que houve um tempo do Pai, de que fala o Velho Testamento; um tempo do Filho, de que trata o Novo Testamento; e que está por vir o tempo do Espírito Santo. Será aquele em que se construirá o Paraíso aqui no mundo. A ousadia desta heresia henricana é genial, uma beleza! Por ela se vê que a utopia está na nossa raiz. Antes mesmo que se escrevesse a primeira Utopia — a de Tomas Morus, baseada, aliás, nas descrições dos cronistas do século XVI, sobre a vida indígena brasileira — era já uma utopia que inspirava a fundação do Brasil, mandado descobrir oficialmente, em 1500, por D. Manuel, o Venturoso, para ser o Paraíso comunista do Espírito Santo.

Seu achamento provoca imensa surpresa. Não seria de fato o Éden, o Paraíso Perdido?, perguntavam os marinheiros vendo aquele vasto mundo verde, cálido, aquelas índias nuas na formosura da sua inocência. Nem se precisava edificar o paraíso henricano! Ele estava ali, na frente deles, pronto, já feito. Perfeito.

Logo vieram, porém, padres severos, dizendo que aquele nudismo não era inocência nenhuma. Era muita pouca vergonha. E se puseram a vestir tangas nos índios e nas índias e a juntá-los para rezar ladainhas em latim para redimir seus muitos pecados carnais.

Pior, muito pior, foi o que veio depois: empresários eficientíssimos, achando que aquela vida farta e alegre da indiada era uma inutilidade. Com tanta fartura de terras tão boas e tamanha mão de obra ociosa, se podia produzir açúcar para enricar o reino: ao rei e a eles. D. Manuel, venturoso, consentiu.

Outro efeito do achamento do Brasil foi inquietar os intelectuais europeus, principalmente os teólogos, que se perguntavam aflitos: esta gente é descendente de Adão e Eva? Esta gente tem alma? São verdadeiros homens ou são bichos? Os macacos também têm forma de gente! Falar, papagaio também fala... O que é essa gente? Esses índios se lavaram também no sangue de Cristo? Eles têm culpa do pecado original, precisam de batismo? Se mortos, vão para o Inferno ou para o Limbo? Quando aprofundaram os estudos, surgiram quantidades de novos problemas. Estes índios são indianos mesmo, da Índia? Como chegaram nestas costas antes de nós? De qual das tribos da Antiguidade eles descendem? Que profeta passou e pregou para eles? Como é que se esqueceram da palavra de Deus? A quantidade de perguntas que se faziam era enorme.

Procurando respondê-las é que o europeu começou a ser capaz de ver-se a si mesmo com certa objetividade. Perde, assim, a ideia singela de que, no passado, só havia no mundo os judeus do Velho Testamento, e de que, no presente, só existiriam verdadeiros homens no Velho Mundo.

Os navegantes portugueses e espanhóis, que deram a volta ao mundo, ao retornarem à Europa descobrem, surpresos, que ninguém acreditava que eles houvessem descoberto, ao vivo, que o mundo era redondo mesmo. Provocavam risos. Toda a gente perguntava: se é redondo, como é que a água do lado debaixo do mundo não cai, não derrama? Como é que estes antípodas podem viver de cabeça para baixo? Todo mundo discutia as novidades do Paraíso Terrenal, da indiada inocente, do mundo redondo como uma bola.

Não há sombra de dúvida de que a curiosidade da surpresa provocada pelas descobertas das Américas e da redondeza da Terra foi muito maior do que a que causou a ida do homem à lua. Só aprendemos com ela que o mundo é azul, mais nada. Tudo o mais, se sabia.

Passada a curiosidade dos sábios, que logo se conformaram com sua ignorância e continuaram ruminando as novidades, começaram as tarefas sujas da conquista das Américas. Esta foi feita com os tiros das armas de fogo, a surpresa representada pelos cavalos e cachorros, que os índios nunca tinham visto, mas, sobretudo, com as pestes. De fato, a grande arma da subjugação dos povos americanos foram as enfermidades que o homem branco europeu trazia no corpo. Até então, o mundo africano, o asiático e o europeu constituíam um circuito só de contágio em que circulavam todas as pestes: a tuberculose, a gonorreia, a sífilis, uma quantidade de doenças pulmonares, todas as infecções, a caxumba, e uma enormidade de doenças outras que os povos do Novo Mundo não conheciam. Estas doenças, ao contaminá-los, provocaram uma hecatombe de dor, de morte em números espantosos, e de debilitamento geral.

A redução da população indígena americana por efeito das doenças e da escravidão, no primeiro século, foi tão grande, que os reis da Espanha e de Portugal se assustaram vendo despovoar-se de braços escravos suas ricas colônias americanas. Mas nada se pôde fazer, então, como pouco se pode fazer agora. Cada nova tribo que entra no circuito de contágio da civilização paga um alto preço em vidas e em sofrimento pelas doenças com que os contaminamos. E continuam pagando, também, um preço igual em opressão e espoliação ao perderem suas terras e a liberdade de viverem segundo o único modo que sabem e que gostam de viver.

Assim é que a operação de fazer o Brasil foi uma operação de gastar gente, de queimar gente. Queimamos e desgastamos uns 5 milhões de índios. Como não foram suficientes, trouxemos para o Brasil mais uns 10 ou 12 milhões de africanos, também para desgastar no trabalho escravo. Queimou-se esta montanha de gentes como a fonte energética da produção do açúcar, do ouro, do café que se exportou através dos séculos, tal como mais tarde se queimaria carvão ou petróleo. Era gente o que se queimava então, e ela foi queimada em quantidades espantosas no fazimento do Brasil. Não para seu próprio gozo, naturalmente, mas para dar lucro a seus senhores. Estes, aliás, lucravam muito porque a renda com negros e índios era muito alta.

A população indígena da área em que está hoje o Brasil e o Rio da Prata era de pelo menos 5 milhões de habitantes, em 1500. Em 1800, era outra vez de 5 milhões. Mas com a diferença de que, em 1500, os 5 milhões eram todos indígenas; e em 1800 eles estavam reduzidos a um milhão. Dos outros 4 milhões de não indígenas, metade eram brancos, por definição, os chamados "brancos do Brasil", que são mestiços. A outra metade era de negros vindos recentemente da África, quase todos eles jungidos ainda à condição de escravos. Um século depois os índios e os negros estavam reduzidos a menos da metade, mas os chamados brancos haviam decuplicado. Esta diferença de desempenho demográfico reflete a brutalidade da vida a que os negros e os índios estavam submetidos.

Uma diferença assinalável na situação dos índios que enfrentaram a civilização é a que permite distinguir, de um lado, os que se incorporaram aos primeiros núcleos, como o paulista, incipientemente mercantis, nos quais se falava tupi e se vivia uma vida muito próxima à da aldeia e o dos que foram vendidos como escravos para os canaviais da Bahia e de Pernambuco. Estes, quando não conseguiam fugir espavoridos e não eram mortos nas verdadeiras caçadas dos mateiros, que os perseguiam, se estiolavam, desgastados no terrível trabalho do cultivo, do corte e do carrego de cana para a produção do açúcar. O eito matou e consumiu tanto ou talvez mais gente do que as enfermidades. Para manter este sistema funcionando os paulistas, que eram mestiços de índios meio civilizados, falando mais tupi do que português, tiveram, durante dois séculos, como ocupação principal, a de caçar índios pelo Brasil inteiro para vender nos engenhos do nordeste.

Assim é que, em nome da civilização, as doenças e a escravidão acabaram com os índios do Brasil ou os reduziram aos pequenos grupos de tribos fugidias, que buscam sobreviver nas matas mais remotas. E aos magotes de índios meio-civilizados, que se veem ilhados no mundo estranho e hostil da branquitude.

Hoje o Brasil conta, no máximo, com 150.000 índios, o que não faz uma boa figura nem frente aos Estados Unidos que, apesar de sua fama de chacinadores, têm mais de 2 milhões de indígenas. A maioria dos nossos índios só fala português, vive vestida e trabalha como qualquer caboclo, as vezes até como bóia-fria. São índios porque guardam uma linha de identidade própria que os vincula historicamente às comunidades que existiam aqui antes da chegada do homem branco. O que importa, porém, é que eles se identificam como índios, e são vistos como tal por toda a gente com que têm contato, o que reforça a sua identificação. Esta é parecida com a do judeu ou a do cigano, que não guardam qualquer característica racial nem cultural destes povos, mas que teimam em permanecer judeus e ciganos, como o índio teima em permanecer índio.

A área territorial que os índios brasileiros ocupam é, também, proporcionalmente, muito menor que a das reservas dos índios norte-americanos. E o mais grave é que eles têm muito menos garantias de posse sobre estas ínfimas parcelas de terras que ainda detêm do que qualquer fazendeiro sobre os latifúndios de que se tenha apropriado.

Tudo isso significa que, paralelamente com os negros, os índios foram e continuam sendo as grandes vítimas da nossa história. O Paraíso Terrestre, que os primeiros navegadores que chegaram ao Brasil viram nos índios, na inocência de sua vida bela, alegre e farta, foi convertido, para eles, num verdadeiro inferno. O Éden, na verdade, está é no futuro, como dizia Dom Henrique. Virá na era em que decidirmos construir o Paraíso aqui no Brasil. Já é hora.

PRIMEIRA FALA AO SENADO

Senhor presidente,
senhoras senadoras,
senhores senadores,

Quero expressar aqui, preliminarmente, a honra e a alegria que me deu o povo do Rio de Janeiro ao mandar-me para esta Casa como uma de suas vozes. Serei uma voz fiel a ele e fiel a mim, na defesa das causas a que dediquei minha vida: a liberdade, a democracia, a salvação dos índios, a educação popular, o pleno emprego, a fartura, a universidade necessária e a Nação latino-americana.

Inicio o cumprimento do meu mandato, neste Senado da República, invocando aquelas pessoas que mais influíram em minha vida pública e para quem a minha presença, aqui, teria maior significação.

UM TEMPO SEM RONDON

Invoco, primeiro, o herói de minha juventude e dos primeiros passos de minha vida profissional: o Marechal Rondon. Ele foi, a meu ver, o maior dos brasileiros no plano humanístico. Com Rondon aprendi a amar e a respeitar a natureza brasileira e, especialmente, os índios.

Invoco Rondon porque vivemos um tempo sem Rondon. Um tempo anti-Rondon, em que suas ideias são negadas. As próprias Forças Armadas, que cultuam diariamente a memória de Rondon como sua figura mais alta, renegam, de fato, suas lições. São militares os que inspiram, hoje, dentro da Funai, uma política anti-indigenista, oposta à de Rondon. O que nela prevalece é o espírito daqueles que se irritam só com a ideia de que este país tenha índios. Daqueles que gostariam de vê-los desaparecer. Essa é a postura de imigrantes mal-assimilados, como Geisel, que não entendem por que, estando eles tão recentemente aqui e sendo já tão patriotas, os índios que aqui estão desde sempre se negam a incorporar-se à brasilidade.

Ignoram, incientes, que os índios, que resistiram a cinco séculos de ódio, de guerras de extermínio, de escravidão, de contaminação proposital com as doenças dos brancos, continuarão resistindo às provações que lhes querem impor. Gastamos cerca de seis milhões de índios no fazimento do Brasil, mas estou certo de que (e proclamo-o com incontida esperança de brasileiro mestiço), no futuro, haverá mais índios do que os trezentos mil que existem agora [1991].

Com Rondon, invoco, também, meu amigo Marçal Tupã'i, um dos homens de mais alta espiritualidade que conheci. Foi ele que saudou o Papa, quando de sua visita ao Brasil. Foi também ele que fez o Santo Padre dizer, na *Missa de Manaus*, os nomes de cinco líderes índios assassinados. Poucos anos depois, Marçal foi, ele também, assassinado.

Reclamo aqui ante o Senado da República contra a vergonhosa impunidade dos assassinos, não só daqueles cinco líderes e também de Marçal, mas das centenas de índios, nossos contemporâneos, assassinados em nossos dias por pequenos portentados locais que cobiçam as suas terras.

Alerto aqui ao Senado que o povo de Marçal, os Guaranis do sul de Mato Grosso, vive hoje um drama que chama a atenção de todo o mundo. Os guaranis estão morrendo numa onda terrível de suicídios. No ano passado, 31 se mataram e 30 tentaram o suicídio. Neste ano, que apenas começa, já 9 se suicidaram. Eram jovens, rapazes e moças em flor, que não acharam mais que valia a pena viver a vida de oprimidos e desenganados que lhes impomos.

Recordo ao Senado da República que esta nação índia que se suicida é remanescente do tronco indígena que mais contribuiu para a formação do povo brasileiro. Foi de mulheres tupi-guaranis que nasceram os primeiros mestiços brasileiros. Foi com eles que aprendemos o nome e o uso das plantas, dos animais, das terras e das águas deste país, hoje nosso. Foi através de suas lições que demos os primeiros passos na criação de uma civilização nos trópicos.

Hoje, perseguidos pela violência assassina e pela exploração dos fazendeiros que se apropriaram de suas terras, os guaranis vivem a instância derradeira do seu drama. Desesperados, convertem os mitos da criação em mitos e ritos de morte. Em sua visão do mundo, já não há mais *terras sem males* para onde fugir. Todo o Brasil está apossado. O grande tigre azul que *Maíra*, o criador, combateu e de cuja pele fez o fundo do céu, volta à vida. Aí está de novo para os guaranis. É um tigre imenso, maior que o mundo. A terra, a própria terra, vendo, aterrada, pede: Pai, ponha um fim. Estou cansada de comer cadáveres.

Só me cabe dizer aqui, agora, lamentando sentidamente que esta nossa Nação brasileira não precisa mais de índio nenhum para existir. Mas não existirá jamais, em dignidade e vergonha, se deixar morrerem — morrerem até de suicídio — os poucos índios que sobreviveram à invasão quinhentista.

A LIÇÃO DE ANÍSIO TEIXEIRA

Invoco, agora, o nome preclaro do meu querido mestre Anísio Teixeira, a consciência mais lúcida que conheci. Trabalhei muitos anos sob as vistas e sob as luzes de Anísio. Gosto de dizer que sou seu discípulo, com reconhecido orgulho de que ele também me tinha como tal.

Juntos, dedicamos inumeráveis horas a tentar entender como o Brasil consegue a façanha de criar e manter uma escola pública tão desonesta que, repelindo a maioria do seu alunado, oriundo das camadas mais pobres, se incapacita para generalizar a alfabetização. Compele deste modo a maioria dos brasileiros à triste condição de marginalizados culturais de nossa civilização letrada.

Juntos, descentralizamos o Instituto Nacional de Estudos Pedagógicos do Ministério da Educação, criando centros regionais de pesquisa e de experimentação em vários estados. Nosso objetivo era convocar toda a intelectualidade brasileira — sobretudo a que se abriga nas universidades — a atuar responsavelmente no campo da educação popular. Era generalizar a consciência de que um sistema educacional público, eficaz e democrático, é requisito essencial para que nossa sociedade realize suas potencialidades dentro da civilização a que pertencemos.

Juntos, planejamos o primeiro sistema educacional primário dessa cidade de Brasília. Nas escolas-parque, daqui e da Bahia, é que foram postas em prática, pioneiramente, as ideias que se cristalizaram depois nos Centros Integrados de Educação Pública — os célebres CIEPs de Brizola, no Rio de Janeiro. Ressalte-se aqui que Brizola foi o primeiro estadista brasileiro a reconhecer a real relevância da educação pública, e o único, até hoje, que lhe destinou recursos do vulto necessário para generalizá-la e fazê-la florescer.

Juntos, planejamos a Universidade de Brasília com a preocupação de fazer dela a casa da inteligência brasileira em que dominaríamos todo o saber humano e o colocaríamos a serviço do desenvolvimento nacional autônomo de nossa pátria.

Juntos, vimos todas essas conquistas serem desmerecidas e degradadas por uma ditadura que impôs ao Brasil retrocessos em todos os campos. Inclusive sobre nosso sistema educacional já tão precário que foi levado à calamidade.

Juntos, amargamos o ostracismo e o exílio, com o só consolo da convicção de que não éramos punidos por erros nossos, mas pelo temor que provocaram nossas ideias de democratizar a educação. Ver, lá de fora, o que sucedia, aqui, com nosso sistema educacional em degradação foi das dores que mais nos doeram. Não era para menos, tamanho foi o descalabro.

É de matar de vergonha que, mesmo províncias ricas como São Paulo, ou cultas como o Rio de Janeiro, produzam mais analfabetos do que alfabetizados. Assim é, se definimos como alfabetizados não quem apenas desenha o nome, mas aquele que é capaz de escrever um simples bilhete ou de ler um anúncio de jornal.

É de matar de vergonha a situação de nossas escolas médias, reduzidas à nulidade; bem como das escolas normais e das faculdades de educação que constituem matrizes vitais dos sistemas educacionais mas que, entre nós, se tornaram incapazes de formar um professorado realmente motivado e preparado para o exercício do magistério.

É de matar de vergonha o descalabro de nossas universidades. Na maior parte delas, o professor simula ensinar e o aluno faz de conta que aprende, na fabricação mais ousada de diplomas que a reduz ao papel de legitimadora do *status* social da classe média. Imensa é a gravidade desse problema, porque é através da educação superior que se domina e se cultiva o saber erudito de nossa civilização. É também através dela que se produzem e reproduzem quadros profissionais, técnicos e científicos de uma nação moderna.

Nosso fracasso na tarefa, indispensável e inadiável, de criar e manter um sistema educacional eficaz e democrático é tanto mais grave, hoje, porque o Brasil vive o trauma de uma transfiguração cultural inconclusa.

Assim como no passado mais remoto surgimos culturalmente daquela transfiguração que, desindianizando índio, desafricanizando negros e deseuropeizando brancos, gerou os brasileiros, agora, de um Brasil rústico, nasce um novo Brasil.

Nas últimas décadas, nossa população que era majoritariamente rural passou a ser majoritariamente urbana. Obsolesceu, em consequência, a cultura rústica de transmissão oral da grande maioria dos brasileiros. Apesar de arcaica, aquela cultura era suficientemente integrada e funcional para prover padrões básicos de adaptação ecológica, de ordenação social e de expressão da criatividade popular. Postos nas cidades, nossos rurículas se veem desculturados e perdidos numa terra de ninguém. São compelidos a integrar a cultura urbana que é essencialmente letrada, mas encontram vedada a única porta de acesso a ela, que é a escola. Cria-se assim uma massa imensa de analfabetos que são inadaptados culturais e marginalizados sociais porque perderam sua cultura original sem ter acesso à cultura nova.

A UTOPIA DE JANGO

Invoco, agora, outro querido amigo, o presidente João Goulart. Com ele lutei muito para passar este país a limpo, criando uma nova institucionalidade, mais aberta, democrática e participativa.

Passados tantos anos de silêncio e de calúnia sobre o seu nome, ele ressurge como o presidente que mais forte e responsavelmente tentou alargar as bases sociais da vida nacional. Pesquisas de opinião realizadas em 1964, mas só recentemente difundidas, nos dizem que quando do golpe militar seu governo de reformas contava com o apoio da maioria dos brasileiros.

Efetivamente aquele governo, de que participei como ministro de Educação do Gabinete Hermes Lima e, depois, como chefe da Casa Civil, à frente da Campanha pelas reformas de base, não caiu por eventuais defeitos nossos. Foi derrubado porque representava uma ameaça inadmissível para as classes dominantes nativas e seus associados estrangeiros. Caímos tombados por uma intentona urdida no estrangeiro, como se comprovou posteriormente com a difusão dos arquivos do presidente norte-americano de então. Isto é o que tem de arriscado conspirar com os norte-americanos: ao cabo de vinte anos, eles publicam tudo ou quase tudo.

Sob o comando do presidente João Goulart, tentamos uma reforma agrária que desse acesso à propriedade familiar aos trabalhadores do campo. Jango, fazendeiro, mas com enorme sensibilidade de estadista, dizia que com dez milhões de proprietários a propriedade estaria muito melhor defendida e mais gente comeria e educaria os filhos.

Um dos ideais maiores do presidente João Goulart era repetir a façanha que realizara uma vez de dobrar o salário mínimo. Ele era então de 125 dólares e Jango desejava elevá-lo a 250.

Outra preocupação do seu governo era pôr sob controle nacional o capital estrangeiro. Não o expropriando, mas fazendo reconhecer que ele tem dois componentes diversos e imiscíveis. O capital estrangeiro propriamente dito, aquele que ingressou no país em qualquer tempo e de qualquer forma, e que tem direito a retorno e a remessa anual de lucros. E o capital nacional pertencente a estrangeiros, que deve correr o destino dos capitais pertencentes a brasileiros. Havendo crescido aqui, em cruzeiros, não deve gerar dólares de exportação.

O que sucedeu ao povo brasileiro depois do golpe militar e em consequência dele foi exatamente o oposto do que pretendíamos fazer:

1. dobrou-se a concentração monopólica da terra em mãos latifundiárias infecundas que não produzem e que não deixam produzir;

2. decuplicou-se nossa dependência com respeito ao capital estrangeiro e ao mercado internacional, fazendo a dívida saltar de três bilhões para mais de 140 bilhões de dólares. Em consequência, empobreceu-se o Brasil, até estancar sua capacidade de crescimento;

3. ao invés de dobrar o salário mínimo, o reduziram à metade, condenando o povo brasileiro à penúria e à fome que hoje presenciamos estarrecidos.

Encerro essas minhas invocações recordando algumas pessoas que tiveram importância decisiva para mim nos meus anos de exílio. Primeirissimamente, meu amigo e companheiro Salvador Allende — o herói-mártir do povo chileno. Recordo aqui, com maior orgulho, que trabalhei como assessor de Allende naquele seu esforço sem paralelo de implantar o socialismo em liberdade.

Invoco também o General Velasco Alvarado, que um dia me convidou para ajudar sua equipe, liderada por Carlos Delgado, a pensar a revolução peruana. No Peru daqueles claros anos, num exercício esplêndido de experimentação numérica, conduzido por Varsavski, tentamos prefigurar o Peru que os peruanos querem edificar para sua própria felicidade.

Devo também uma palavra a tantos colegas meus das universidades nacionais do Uruguai, da Venezuela, do Peru, do México, da Costa Rica, e da Argélia. Com eles trabalhei muito, seja em projetos de reforma de suas próprias universidades, seja em planos de criação de novas universidades. Desse ofício vivi em meus anos de desterro. Teriam sido uns tristes anos não fossem as oportunidades de convivência e de trabalho que me foram abertas por esses meus irmãos latino-americanos. Graças a eles vivi no exílio alguns dos anos mais fecundos da minha vida.

RAÍZES DO ATRASO

É, pois, com o sentido e o juízo de quem já viveu tanto o Brasil aqui, como a ausência do Brasil no exílio, de quem ama profundamente esta Nação, de quem sentiu o prazer e a dor do índio vivendo seu destino, bem como a alegria e a tristeza da criança abandonada; de quem dedicou sua vida à luta por uma educação pública de qualidade e pela superação do atraso e da pobreza em que nosso povo está afundado — é carregado de todas essas experiências vividas que hoje lhes dirijo esta minha primeira fala. Ela será uma arguição a mim, aos nobres senadores, à Nação brasileira, sobre as causas reais do desempenho medíocre do Brasil na civilização a que pertencemos e da penúria consequente do nosso povo.

Ao longo dos séculos, viemos atribuindo o atraso do Brasil e a penúria dos brasileiros a falsas causas naturais e históricas, umas e outras imutáveis. Entre elas, fala-se dos inconvenientes do clima tropical, ignorando-se suas evidentes vantagens.

Acusa-se, também, a mestiçagem, desconhecendo que somos um povo feito do caldeamento de índios com negros e brancos, e que nos mestiços constituímos o cerne melhor de nosso povo.

Também se fala da religião católica como um defeito, sem olhos para ver a França e a Itália, magnificamente realizadas dentro dessa fé.

Há quem se refira à colonização lusitana com nostalgia por uma mirífica colonização holandesa. É tolice de gente que visivelmente nunca foi ao Suriname.

Existe até quem queira atribuir nosso atraso a uma suposta juvenilidade do povo brasileiro, que ainda estaria na minoridade — esses idiotas ignoram que somos cento e tantos anos mais velhos que os Estados Unidos.

Dizem também que nosso território é pobre — uma balela. Repetem incansáveis que nossa sociedade tradicional era muito atrasada — outra balela. Produzimos, no período colonial, muito mais riqueza de exportação que a América do Norte e edificamos cidades majestosas como o Rio, a Bahia, Recife, Olinda, Ouro Preto, que eles jamais conheceram.

Trata-se obviamente do discurso ideológico de nossas elites. Muita gente boa, porém, em sua inocência, o interioriza e repete. De fato, o único fator causal inegável de nosso atraso é o caráter das classes dominantes brasileiras que se escondem atrás desse discurso. Não há como negar que a culpa do atraso nos cabe é a nós, os ricos, os brancos, os educados, que impusemos, desde sempre, ao Brasil, a hegemonia de uma elite retrógrada que só atua em seu próprio benefício.

O que temos sido historicamente é um proletariado externo do mercado internacional. O Brasil jamais existiu para si mesmo, no sentido de produzir o que atenda aos requisitos de sobrevivência e prosperidade de seu povo. Existimos é para servir a reclamos alheios. Por isso mesmo o Brasil sempre foi, e ainda é, um moinho de gastar gentes. Nós construímos queimando milhões de índios. Depois, queimamos milhões de negros. Atualmente, estamos queimando, desgastando milhões de mestiços brasileiros na produção não do que eles consomem, mas do que dá lucro às classes empresariais.

Não nos esqueçamos de que o Brasil foi formado e feito para produzir pau-de-tinta para o luxo europeu. Depois, açúcar para adoçar as bocas dos brancos, e ouro para enriquecê-los. Após a independência, nos estruturamos para produzir algodão e café. Hoje, produzimos soja e minério de exportação. Para isso é que existimos como nação e como governo, sempre infiéis ao povo engajado no trabalho, sofrendo fome crônica, sempre servis às exigências alheias do mercado internacional.

O mercado internacional, que nos viabiliza no plano econômico, é a peia que nos ata ao cativeiro e à pobreza. É necessário que seja assim? Por que outros povos que, no passado, foram mais pobres e menos ilustrados, como é o caso dos Estados Unidos, nos passaram à frente?

Qual é a causa real de nosso atraso e pobreza? Quem implantou esse sistema perverso e pervertido de gastar gente para produzir lucros e riquezas de uns poucos e pobreza de quase todos?

Como uma das principais nações pobres do mundo, estamos desafiados, até internacionalmente, a buscar e encontrar caminhos de superação do subdesenvolvimento autoperpetuante em que fomos todos metidos pela política econômica das potências vitoriosas no após-guerra. Tanto mais porque não há, em nenhum lugar da Terra, um modelo comprovadamente eficaz de ação político-econômica para vencer a pobreza e a dependência em que estamos afundados.

O mundo subdesenvolvido tem os olhos postos em nós. Espera do Brasil alguma solução para nossos problemas comuns. Todos já suspeitam que, persistindo no papel de proletariados externos dos povos ricos, nos perpetuaremos na pobreza. Todos perguntam: como romper com esta perversão econômica e com a tragédia social que dela decorre para duas terças partes da humanidade?

O GOVERNO DOS RICOS

Vivemos, nós brasileiros, uma conjuntura trágica. O próprio destino nacional está em causa e é objeto de preocupação da cidadania mais lúcida e responsável. O aspecto mais grave e inquietante da crise que atravessamos é de natureza política.

As diretrizes econômicas postas em prática pelo governo se caracterizam por uma incrível temeridade, pela mais crua insensibilidade social, por um servilismo e uma ingenuidade vexatórios frente a interesses alheios e a mais deslavada predisposição a alienar as principais peças constitutivas do patrimônio nacional.

Outra característica é sua animosidade frente ao Estado, visto como a fonte de todos os males. Será assim? Onde nesse mundo uma economia nacional floresceu sem um Estado que a conduzisse a metas prescritas? Onde estão esses empreendedores privados cuja sanha anárquica de lucrar promoveria o progresso nacional? Crerão esses fanáticos do economês que o estamento gerencial das multinacionais — que são entre nós as supremas empresas privadas — se comove pelo destino nacional? Se preocupa com o que sucede com o povo brasileiro?

Ignorando, soberbo, nossa realidade, o governo despreza em seus planos o único fator econômico que nos sobra efetivamente: a mão de obra. Efetivamente, a aspiração da maioria dos brasileiros é alcançar um emprego em que possam progredir por seu esforço. Acresce que também nossos empresários o que pedem é meios de expandir seus negócios para produzir mais. Nada disso os tecnocratas veem. Na sua arrogância eles só aprofundam os fatores causais do atraso e da pobreza. E, para espanto geral, ainda nos pedem quinze anos para apresentar resultados. O que prometem assim é, outra vez, um bolo que, crescido, seria redistribuído. É o novo bolo do Delfim [Neto] de que só nos ficou a gigantesca dívida externa que aí está. Até agora, aliás, para nosso pasmo, muito bem conduzida pelo governo frente aos banqueiros lá de fora.

Em tudo o mais, porém, sua política é a de um servilismo suicida ante o poderio das empresas multinacionais. Quando o Japão reserva seu mercado para o caro arroz que pode produzir, invocando a segurança nacional; quando a França preserva seus vinhedos como patrimônio cultural francês e como base da riqueza nacional; quando os Estados Unidos nos chantageiam da forma mais torpe para nos impor a dominação de suas empresas nacionais e de suas próprias patentes, aí vêm esses insensatos querendo nos atrelar ainda mais na dependência. Esquecidos de que Volta Redonda nos custou uma guerra, e foi a matriz da modernização da economia brasileira, propõem simplesmente privatizá-la e desnacionalizá-la. Farão o mesmo, se puderem, com a Petrobrás, nos entregando às generosidades das *Essos* e *Shells* lá de fora, como imperativo de sua eficácia economicista.

Neste nosso país dos modismos intelectuais, uma nova moda está grassando, irresistível, por toda parte. Trata-se de um contradiscurso anti-ideológico que é, de fato, a velha fala das elites, a mui treteira ideologia inconfessável do amor à ordem vigente e da submissão fanática ao mundo dos ricos. Uma submissão não só econômica, mas também cultural porque fundada numa postura negativista diante da vida e diante da sociedade brasileira.

Sua postura cabisbaixa e servil se assenta numa atitude de alienação humana perante os seus semelhantes, de alienação cultural frente à Nação, de alienação intelectual diante do conhecimento criado e sedimentado em nosso país. Toda a sua fala é uma impostura destinada a esconder um complexo insanável de inferioridade e de subalternidade que delega a condução de nossa economia a centros metropolitanos de decisão, assim como transfere à inteligência externa a reflexão sobre o destino de nosso povo.

O que cumpre fazer em nosso país não é nenhuma modernização reflexa, destas que atualizam um sistema produtivo apenas para fazê-lo mais eficaz no papel de provedor de bens para o mercado mundial. É, isto sim, um salto evolutivo à condição de economia autônoma que exista e viva para si mesma, isto é, para seu povo. Para tanto, temos é que nos associar aos outros povos explorados para denunciar e pôr um termo à ordem econômica vigente que faz os povos pobres custearem a prosperidade dos povos ricos através de um intercâmbio internacional gritantemente desigual.

Sobre essas bases é que se tem, necessariamente, de formular nosso projeto próprio de integração do Brasil na civilização pós-industrial, sempre atentos aos interesses nacionais, priorizando sempre o desenvolvimento social, ou seja, aos interesses populares. A via da modernização reflexa pelo desenvolvimento dependente só nos faria fracassar na civilização emergente tal como fracassamos ao nos integrarmos, por este mesmo caminho, na civilização industrial.

Nós, e só nós, brasileiros, podemos definir esse projeto do Brasil que queremos ser. Não será, obviamente, o Brasil desejado pela minoria próspera que está contentíssima com o

Brasil tal qual é, e que só quer mais do que já tem. Mas o Brasil dos explorados e oprimidos que o modelo econômico vigente já levou a níveis incomprimíveis de miséria e desespero.

Lamentavelmente o governo eleito pelos pobres optou, até agora, pelos ricos. Sua política econômica é a dos interesses minoritários, assumidos com uma crueza que seria incrível e até impensável, se não o ouvíssemos diariamente expresso por bocas oficiais, da forma mais impávida. Não é notoriamente a voz dos brasileiros, mas o eco de interesses elitistas nativos associados desde sempre a interesses estrangeiros. Uns e outros dispostos a impor a nosso povo novos sacrifícios para atar o Brasil à servidão dentro da civilização emergente.

ECONOMIA SOCIALMENTE IRRESPONSÁVEL

Nunca faltaram vozes de denúncia desse caráter cruel de nossa sociedade. Neste mesmo Senado, seja na era imperial, seja na republicana, muitas vozes de denúncia se alçaram. Em vão. Com pequenas alterações o Brasil atravessou os séculos sempre igual em seu caráter de moinho de gastar gentes.

A meu juízo é tempo já de que esse tema seja retomado em nossa Casa. O Senado é, para sua pena e para sua glória, a encarnação mais perfeita das classes dominantes brasileiras. Aqui temos uma representação melhor delas do que em qualquer outra instituição. Tanto do patriciado político que alcança o poder pelo desempenho de cargos, como do patronato empresarial que o alcança pelo exercício da atividade econômica.

A nós, portanto, elite da elite, nos cabe a responsabilidade de nos perguntar que culpa temos, enquanto classe dominante, no sacrifício e no sofrimento do povo brasileiro. Somos inocentes? Quem, letrado, não tem culpa neste país dos analfabetos? Quem, rico, está isento de responsabilidades neste país da miséria? Quem, saciado e farto, é inocente neste nosso país da fome? Somos todos culpados.

Nossos maiores, primeiro, nós próprios, depois, urdimos a teia inconsútil que é a rede em que nosso povo cresce constrangido e deformado. Em nossa sociedade, se as relações interraciais se dão com certa fluidez — apesar do preconceito racial que aqui impera — as relações interclassistas, ao contrário, são infranqueáveis em sua dureza cruel. A característica mais nítida da sociedade brasileira é a desigualdade social que se expressa no altíssimo grau de irresponsabilidade social das elites e na distância que separa os ricos dos pobres, com imensa barreira de indiferença dos poderosos e de pavor dos oprimidos.

Nada do que interessa vitalmente ao povo preocupa, de fato, a elite brasileira.

A quantidade e a qualidade da alimentação popular não podia ser mais escassa, nem pior. O doloroso é que não se deve, no Brasil, a nenhum descalabro climático ou outro, como ocorre mundo afora; deve-se tão-somente ao modo de organização da sociedade e da economia.

A qualidade de nossas escolas a que o povo tem acesso é tão ruim que, como já disse, elas produzem de fato mais analfabetos que alfabetizados.

Os serviços de saúde de que a população dispõe são tão precários que epidemias e doenças vencidas no passado voltam a grassar, como ocorre com a tuberculose, a lepra, a malária e inumeráveis outras.

A solução brasileira para a moradia popular, na realidade das coisas, é a favela ou o mocambo. Não conseguimos multiplicar nem mesmo essas precaríssimas casinhas de marimbondo dos bancos da habitação e das caixas econômicas.

Regido pelas leis de mercado — tão louvadas ultimamente pelos irresponsáveis — prosseguimos tranquilamente produzindo soja de exportação — o que não seria ruim em si — e álcool motor — o que também se justificaria se isso se fizesse sem prejuízo da produção de feijão, de milho e da mandioca que o povo quer comer.

Nossa elite, bem nutrida, olha e dorme tranquila. Não é com ela.

Desafortunadamente, não é só a elite que revela essa indiferença fria ou disfarçada. Ela é a hedionda herança comum de séculos de escravismo, enormemente agravada pela ditadura militar que levou a extremos jamais vistos a distância entre ricos e pobres.

Onde está a intelectualidade iracunda que se faça a voz desse povo famélico? Onde estão as militâncias políticas que armem os brasileiros de uma consciência crítica esclarecida sobre os nossos problemas e, deliberada a passar para trás tantos séculos de padecimento?

Frente ao silêncio gritante dessas vozes da indignação, o que prevalece é o entorpecimento, induzido pela mídia. É o pendor quase irresistível de tantos subintelectuais de culpar os negros pelo atraso em que estão atolados; de culpar os pobres por sua miséria; de culpar a criança do povo por seu fracasso na escola; a atribuir a fome à imprevidência e à ignorância da população; a acusar os enfermos de culpados de seus males por falta de higiene ou negligência.

A triste verdade, entretanto, é que vivemos em estado de calamidade, indiferentes a ela porque a fome, o desemprego e a enfermidade não atingem os grupos privilegiados. O sequestro de um rapaz rico mobiliza mais os meios de comunicação e o Parlamento do que o assassinato de mil crianças, o saqueio da Amazônia, ou o suicídio dos índios. E ninguém se escandaliza, nem sequer se comove com esses dramas.

A imprensa só protesta mornamente e o faz quando ecoa o que se divulga lá fora. Parece haver-se rompido o próprio nervo ético da nossa imprensa, que nos deu, no passado, tantos jornalistas cheios de indignação em campanhas memoráveis de denúncia de toda sorte de iniquidade. Hoje, quem determina o que se divulga e com que calor se divulga qualquer coisa não são os jornalistas, é o caixa, é a gerência dos órgãos de comunicação. E esta só está atenta às razões do lucro.

O que foi feito para pôr cobro a essa situação de calamidade? Na realidade dos fatos, nada foi feito. As vozes e o poderio dos que defendem os interesses do privatismo e as razões do lucro sobrepujam o clamor pelo atendimento das necessidades mais elementares do povo brasileiro.

GENOCÍDIO: ESTAMOS MATANDO NOSSO POVO

Nada há de mais espantoso, em nossa Pátria, do que o fato de que ninguém se rebele contra o horror da paisagem humana do Brasil de hoje. Estamos matando, martirizando, sangrando, degradando, destruindo nosso povo. O conjunto das instituições públicas e das empresas privadas dessa nossa ingrata Pátria brasileira dos anos 1990, o que faz, efetiva e eficazmente, é gastar o único bem que resultou de nossos séculos de triste história: o povo brasileiro.

Somos, hoje, uma parcela ponderável da humanidade. Somamos mais de cento e cinquenta milhões de almas. Seríamos uma humanidade nova e louçã se alcançássemos coisas tão elementares como todo brasileiro comer todo dia, toda pessoa ter acesso a um emprego e toda criança progredir na escola. Mas não há nada disto. Nem há qualquer perspectiva de que isso se alcance em tempos previsíveis, pelos caminhos que vimos trilhando. Tudo de que se necessita para que floresça no Brasil uma civilização bela e solidária. Herdamos uma das províncias maiores, mais belas e ricas do planeta. Somos um povo movido por uma incansável vontade de viver e de trabalhar; ativado pelo desejo mais intenso de felicidade; animado por uma alegria inverossímil para quem enfrenta tanta miséria. Esse povo nosso multitudinário e criativo aí está, disperso dentro do que resta da natureza mais prodigiosa da Terra. Aí está à espera de uma política econômica que faça dele o protagonista de seu destino.

Seremos impotentes para realizar as potencialidades de nossa terra e de nosso povo? É mesmo inevitável que continuemos enriquecendo os ricos e empobrecendo os pobres? Existe por aí algum projeto nacional alternativo já formulado que nos dê garantia de redenção?

Reiterar na rota política e no modelo de ação econômica que praticamos só nos dá segurança de perpetuação do atraso e até mesmo de genocídio, ou seja, de matança do povo brasileiro, que é o que está em curso.

A ordem econômica vigente nada mais tem a dar ao Brasil, senão miséria e mais miséria. O modelo de capitalismo que se viabilizou entre nós — aliás, muito lucrativo, — é impotente para criar uma prosperidade generalizável a todos os brasileiros.

Pergunto, aqui, senhor presidente, se acaso exagero nessa pintura trágica da paisagem humana de nossa Pátria? Exacerbo ao falar de genocídio? Lamentavelmente, eu não exagero.

A situação do Brasil é tão grave que só se pode caracterizar a política econômica vigente como genocida. Estão matando nosso povo. Estão minando, carunchando a vida de milhões de brasileiros. Desnutrida, desfibrada, nossa gente está se tornando mentalmente deficiente para compreender seu próprio drama, e fisicamente incapacitada para o trabalho no esforço de superação do atraso.

Vivemos um processo genocida. O digo com dor, mas com o senso de responsabilidade de um brasileiro sensível ao drama do nosso povo. O digo também como antropólogo habituado a examinar os dramas humanos.

Vivemos, com efeito, um processo genocida que faz

vítimas preferenciais entre as crianças, os velhos e as mulheres; entre os negros, os índios e os caboclos.

Quantas crianças brasileiras morrem anualmente de fome, de inanição ou vitimadas por enfermidades baratas, facilmente curáveis? Estatísticas estrangeiras, cautelosas, falam de meio milhão. Estatísticas nacionais, menos cautas, contam mais de oitocentas mil. Quantas serão essas crianças que poderiam viver, e morreram? Cada uma delas nasceu de uma mulher, foi amada, acariciada numa família, deu lugar a sonhos e planos, nos dias, nas horas, nas semanas, nos meses, nos breves anos de sua vida parca. Seguindo a tradição, muita mãe chorou resignada, achando que melhor fora que Deus levasse sua cria do que a deixar aqui nesse vale de lágrimas.

Sobre este drama tão brasileiro se alça outro ainda maior. Impensável há uns poucos anos. Indizível. Refiro-me ao assassinato de crianças por aparatos parapoliciais. Uma vez, quando chegava do exílio, vendo a miséria que se estendeu sobre o país, multiplicando trombadinhas, previ, horrorizado, que acabaríamos por ter uma guerra das Forças Armadas contra os pivetes.

Essa guerra atroz está em curso. Não é ainda uma operação militar das Forças Armadas. Mas é já uma guerra cruenta contra a infância e a juventude pobres, travada por organizações paramilitares clandestinas. Consentidas pelo governo. Ignoradas pela Justiça. Apoiadas por pequenos empresários assustados e em pessoas que se sentem inseguras, elas crescem aliciando combatentes, vale dizer, criminosos, para a triste tarefa de estancar a vida de milhares de crianças e jovens vistos como perigosos.

Quantas crianças e jovens estamos matando a tiros cada ano? Ignoramos! Os números internacionalmente difundidos e que nossa imprensa repete falam de um pouco mais de quinhentas nas principais cidades. Mas todos sabemos que seu número é muitíssimo maior.

Outras vítimas desse genocídio são as mulheres brasileiras, mortas em abortos mal conduzidos. Também não sabemos contar os números espantosos dessas brasileiras, morrendo ou se inutilizando no esforço de não ter mais filhos. Quem assume a culpa de suas mortes e do sofrimento de tantíssimas delas que, malcuidadas, levam vida afora suas genitálias rotas e estropiadas? Não há aqui um feio crime de conivência de quantos condenam o aborto à clandestinidade?

Pior, ainda no curso desse genocídio, mil vezes pior, para o destino de nosso povo, é o caso daquelas mulheres, milhões delas, induzidas a esterilizar-se em programas sinistros de contenção da natalidade. Está em curso em nossa Pátria todo um enorme e ricamente financiado programa internacional clandestino de controle familiar pela esterilização das mulheres pobres, sobretudo das pretas e mestiças. Seu êxito é tamanho que se avalia já, oficialmente, com números do IBGE, em 44% as mulheres brasileiras em idade fecunda já esterilizadas. Castradas.

Esse número espantoso faz temer que já não sejamos capazes nem mesmo de repor a população que temos. Acaso a população brasileira excede aos recursos de nosso território? Não! Decisivamente não. Excede tão-somente ao reclamo de mão de obra do sistema econômico vigente, fundado na precedência do lucro sobre a necessidade. Excede também, claramente, à estatura da Nação brasileira programada pelos promotores do genocídio.

Mas alguém sabe muito bem quantos brasileiros, a seu juízo, devem existir no ano 2050. Não só sabe, como atua para que esse medonho número desejável deles se cumpra sobre nós. Organizações estrangeiras e internacionais, atuando criminosamente em nosso país, já esterilizaram mais de sete milhões de brasileiras.

O fazem através de médicos subornados que induzem suas clientes a permitir que lhes seccionem as trompas no curso de partos, realizados através de cesarianas. O Brasil, para escândalo mundial e vergonha nossa, é o país em que mais se realizam esses partos cirúrgicos. É também aquele em que mais vezes se utiliza desse procedimento para esterilizar mulheres.

São nacionais os tristes dinheiros desse suborno? Quem aprovou, neste país, tal política demográfica?

Este Senado da República seria uma instituição suficientemente autorizada e responsável para decidir quantos brasileiros existirão no futuro. Mas não foi o Senado que tomou essa decisão. Quem foi? Alguém, clandestinamente, o decidiu e está aliciando os capadores de mulheres Brasil adentro.

Quem ponderou sobre os convenientes ou os inconvenientes de deixarmos de ser uma população majoritariamente juvenil, para sermos uma população majoritariamente senil? O que se está fazendo ao esterilizar tão grande parcela de nossa população feminina é forçar-nos a optar por uma maioria de idosos. Nosso povo preservará, depois dessa drástica cirurgia, a vitalidade indispensável para sair do atraso ou estará condenado a afundar cada vez mais no subdesenvolvimento? Quem está interessado em que o Brasil seja capado e esterilizado? Serão brasileiros?

DESAFIO AO SENADO DA REPÚBLICA

Nunca, em nossa história, nos faltaram tanto a lucidez e a clarividência indispensáveis para equacionar nossos problemas. Nunca foi tão escasso o sentido do bem comum, a noção do interesse público, que é o ponto de vista do povo inteiro. O que nos sobra, nesses tristes dias, são as vozes de irresponsáveis só sensíveis aos interesses minoritários, às razões do lucro. É a consciência culposa do colonizado, querendo reiterar o velho projeto do Brasil servil.

No silêncio assombroso das vozes que deviam expressá-la, a Nação brasileira tem o direito de esperar deste Senado da República uma resposta. Consagramos essa política demográfica clandestina? Aprovamos a matança de crianças? Condenamos ou não a política que conduz ao suicídio do povo guarani? Continuaremos multiplicando uma escola pública que rejeita o alunado popular? Apoiamos a política econômica de estagnação e de esfomeamento?

Neste momento encaminho à Mesa os pedidos de informação que estimo indispensáveis para que o Senado da República se capacite a tomar posição nessas matérias.

O que não podemos fazer, senhor presidente, senhoras senadoras, senhores senadores, o que não podemos fazer, em dignidade, é calar diante desses desafios.

EXÉQUIAS A GLAUBER ROCHA

Sim, um dia floriu um gênio aqui. Aqui, neste país, ele viveu sua breve vida, sem pele, com a carne viva. Um dia ele me procurou e passou uma manhã inteira chorando. Glauber chorava a dor que todos nós devíamos chorar, a dor de todos os brasileiros. A dor de ver crianças com fome. A dor por este país que não deu certo. Glauber chorava a brutalidade, a violência, a estupidez, a mediocridade, a tortura. Chorava, chorava, chorava. Os filmes de Glauber são isso. E um lamento, um grito, um berro. Essa é a herança que fica de Glauber para nós. Essa herança é a sua indignação. Ele foi o mais indignado de nós. Indignado com o mundo tal qual é. Indignado porque mais do que nós podia ver o mundo que vai ser, que há de ser.

Glauber viveu entre a esperança e o desespero, frequentemente tido como um louco, como um pêndulo louco, porque era um pêndulo, a esperança desesperada, porque se agarrou a tudo que pudesse dar alguma coisa. Eu vi Glauber nesses anos de exílio, visitando Jango, conversando com ele, com amor, tentando entender como só Allende entendeu uma vez, que aquele foi um momento alto da história, sabendo que não tínhamos a altura daquele momento que cristalizava as grandes transformações. Glauber sofria pela coisa que passou e ele não percebeu no dia. Mas ele chorava depois a grandeza daquele instante em que o povo foi derrotado terrivelmente.

Depois, Glauber foi viver no Peru. Passamos dias e noites discutindo desesperadamente. Glauber vinha para o Brasil e estava no Peru fazendo o que eu estava fazendo. Eu tinha esperança e Glauber desesperadas esperanças loucas, e vim com elas para o Brasil.

Nosso gênio Glauber provocava duas sensações. O sentimento de ter um grande mundo, do qual era a grande voz, e uma tensão que era insuportável para qualquer dono de qualquer coisa, qualquer gênio da literatura ou sobretudo do cinema. Glauber era incômodo, Glauber era provocativo. Essa tensão, de um lado, e essa representatividade de grande voz, creio que era você, Glauber. E aqui estamos hoje para dizer a você que sua herança nós tomamos com as duas mãos e o coração. Glauber, sua herança da indignação com o país que é, sua indignação total com toda a dor necessária, com toda fome dispensável, essa indignação, Glauber nós herdamos para tentar passar esse mundo a limpo. Você me disse uma vez que não tinha importância tanto fracasso, tanta dor, porque havia muito tempo. Não houve tempo para você. Para nós, sobra um pouco, vamos usá-lo com a dignidade imensa como você usou o seu, sem a sua criatividade, Glauber, porque essa é única e é de hoje em diante o orgulho deste povo.

APÊNDICE

DARCY, POR GLAUBER

Vou navegar em Rio contraditório donde flui corrente cristalina: sou a favor das Liberdades Democráticas!

Conheci o professor Darcy Rybeyro (era assim que Jango o chamava) em Santiago dos tempos de Salvador Allende numa visita que lhe fiz acompanhado por Norma Benguell.

Em 20 minutos Darcy reduziu a História da Humanidade.

Fiquei perplexo diante do Gênyuz.

Queria fazer um filme! A fome do absoluto metaforizava a Utopya Brasyleyra.

Depois o encontrei em Paris chorando a morte de Heron de Alencar e devo a um reencontro em Buenos Aires a sorte de ser apresentado a Jango, 1972, Montevideo.

Em Lima, num apartamento Alvorada, conheci Berta e deixei de presente um livro de poemas de Jorge Luis Borges em paga ao saber que bebi naqueles dias.

Fora do tempo — quando? — em Paris. Ele de cabelo grande contou-me no avião Buenos Aires/Montevideo que durante os nove meses na prisão escrevera um romance.

Antes, "Uirá" — um índio à procura de Deus, que virou um filme de Gustavo Dahl.

E "Uirá" vai em busca de Mayra: Zuenir me escreve que Darcy teve câncer no pulmão.

Escapou.

Saiu o romance "mayra", com ilustrações de Poty.

Quatro meses prá telefonar ao Professor e visitá-lo no apartamento d'Avenida Atlântica, jantar no "Antonio's" onde o apresento a Joel Barcelos, filé, uísque puro malte, descemos a pé do Leblon a Ipanema.

Na única carta que me enviou, Darcy falava que Jango era reformista e não revolucionário.

Sua crítica da queda de Salvador Allende é a melhor análise que se fez da tragédia chilena e provocou polêmicas entre as esquerdas latino-americanas.

Antropólogo, romancista, professor, missionário e Santo eis como vejo Darcy Ribeiro ao som de Mozart.

Lembro-me que na Bahia, quando era ministro da Educação de Jango, Darcy passou por lá transando com Lina Bardi questões relativas ao artesanato sertanejo, investindo no Museu d'Arte Popular.

Pelas ruas, praias de Montevideo e num quarto de hotel recebi as melhores aulas da minha vida — o privilégio de conviver com a maior sabedoria do mundo.

No Rio saímos de táxi, a entrevista começou:

GLAUBER – Darcy, comprei "Mayra", não li ainda mas dei uma olhada no índice e lá tem uns termos de Missa, não saco Latim, você sabe, sou protestante...

DARCY – Uma Missa! Não sabe o que é Antifonia?

GLAUBER – Não entendo por que você mete a missa nos índios...

DARCY – O personagem é um padre índio que volta desencantado do Vaticano rumo a um Éden destruído pela civilização e seu duplo feminino é u'a mulher branca que volta desesperada dos índios rumo à poluição atômica. Estas idas e voltas apocalípticas sintetizam o encontro da paixão jesuítica revolucionária com a tragédia das Utopias Europeias que entre os índios encontram apenas a pré-história — um tipo de cultura desenvolvida no seu a-historicismo que um antropólogo estrangeiro não pode sacar por mais inteligente e sensível que seja, como é o caso de Lévi-Strauss...

GLAUBER – Quantos anos você viveu entre os índios?

DARCY – Mais de dez. O mito não se decifra, eis o equívoco de Lévi-Strauss. O mito a gente devora ou é devorado por ele.

GLAUBER – Dizem que você se acha o maior antropólogo do mundo...
DARCY – Morgan, o pioneiro da Antropologia, é o Velho Testamento. Engels reescreveu "Morgan — é o Novo Testamento". Levy Strauss confunde Antropologia com Arqueologia. Eu penso no homem do futuro.
GLAUBER – E Freud?
DARCY – E Chico Xavier?
GLAUBER – Escreveu muito depois de 1964?
DARCY – O exílio me deu o tempo que precisava...
GLAUBER – "As Américas e a Civilização" é um livro monumental...
DARCY – Dediquei poucas linhas a Simón Bolívar.
GLAUBER – "Teoria do Brasil"?
DARCY – Leu "O Dilema da América Latina"?
GLAUBER – "O Processo Civilizatório"... "Uirá"...
DARCY – "Os Índios e a Civilização"?... "Teoria do Brasil"?
GLAUBER – O seu discurso começa com os índios, atravessa nossos 477 anos de História e desenvolve o Kontynent Amerycano com a visão do Terceyro Mundo.
DARCY – Sem falar das mitologias...

Estas cenas se passam em 1976. Revi o Magnyfyk num debate no seu Ap. — Outubro 77 — lá estavam o Fylozopho Mario Pedrosa e o Poeta Ferreira Gullar. Depois que Paulo Emilio morreu incorporei Darcy como meu Terceiro Pai Nacyonal (o primeiro é Jorjamado)... Foi o maior Debate Cultural da década (a fita está com a jornalista Beth Carvalho, e a revista "Izto É" publicou uns trechos). Ah, antes do Debate, em Agosto, tive uma crise de Pancreatyvidade (AMILAZYZ 70) — na mesma Clínica onde morreu Carlos Lacerda, a "São Vicente", repouso de Vinicius de Moraes — ENTRE A VIDA E A MORTE, coloquei frente a frente meu PZYKALYZTA YUNG-FROIDEANO no divan de meu PZYKANLYZTA REICH-LAKKRANYANO — recebi das mãos de Cacá Diegues e de Paula Gaetan o presente (o remédio) de Darcy

— "CASAGRANDE E SENZALA", versão espanhola, made in Caracas, Fantaztykamente prefaciada.

Darcy desmascarou-me Gylberto. Vi Genyuz, curei-me lendo o Klazzyk Freyryano nas banheiras ferventes d'Éduardo Maskarenhaz.

Ontem reencontrei Darcy: — LINDO! Mas é tema pra Romance: eis por que Mayra está por cima do Bem e do Mal. (FYM).

ENTREVISTA: DARCY RIBEIRO, GLAUBER ROCHA, FERREIRA GULLAR, MÁRIO PEDROSA E ZUENIR VENTURA (1977)

ELIZABETH CARVALHO – Vocês todos são recém-chegados ao Brasil depois de um longo período no exterior. O regresso de vocês tem sido marcado por uma solicitação constante, uma grande avidez com que as pessoas vão buscar em vocês interpretações sobre os acontecimentos recentes da vida brasileira. São nomes que estão com muita frequência nas páginas dos jornais, opinando sobre os mais variados assuntos. Como é que vocês interpretam este assédio? Como é que vocês interferem hoje na nossa realidade?

VENTURA – Há uma crença muito enfatizada pelos modernistas que é preciso sair do Brasil para pensá-lo à distância. Isso alterou muito a visão de vocês do Brasil?

PEDROSA – Eu não tenho essa pretensão de ter interferência na realidade brasileira. O Glauber, que é cineasta, o Gullar, que é poeta, o Darcy. Estes podem interferir na realidade brasileira. Mas eu, miserável crítico, não posso ter essa pretensão.

GLAUBER ROCHA – Não apoiado.

PEDROSA – O que eu pretendo fazer agora é escrever. Falar e escrever. Além disso, não há nada a fazer. Por outro lado, eu encontrei o Rio de Janeiro desfigurado. Não entendo mais nada do Rio de Janeiro, que é uma cidade pela qual eu sempre tive um grande apreço, e agora eu vejo que esta cidade está desaparecendo. Como eu também vejo que o Brasil está se desfigurando, eu acho que a nação brasileira se perdeu. Isso em face dessa preocupação de levar o Brasil ao desenvolvimento máximo, fazer do Brasil uma grande potência como os Estados Unidos e a Alemanha. Isto é uma alienação total. Eu tenho nostalgia do velho Brasil. E acho que na situação atual do mundo, em que há uma crise cultural, política, geral, o Brasil fracassará seguramente se continuar a ter esse mesmo programa, essa política de desenvolvimentismo pelo desenvolvimentismo, esse modernismo exacerbado. Eu vejo o que, por exemplo, o Brasil não pode fazer uma política de desenvolvimentismo no Amazonas como fez em São Paulo. Vai-se destruir a Amazônia, que são dois terços do território brasileiro.

DARCY RIBEIRO – Me interessa muito a pergunta da Beth no sentido de que há uma avidez na gente que nos procura, e que esta é a atitude nossa também. São duas fomes que se encontram, a gente quer nos ouvir e nós queremos ouvir toda a gente. Então, há uma procura nossa do país que nós deixamos, ou do país outro que era, e a indagação muito forte que eu faço é: o que estão fazendo do meu país? O que fizeram do meu país, onde está ele? Vendo e respondendo eu me assusto às vezes, porque o que estão fazendo é ruim. Por exemplo, eu visitei São Paulo. São Paulo onde estudei. Nasci em Minas, mas me considero muito paulista e é horrível o que estão fazendo com São Paulo. São Paulo é a cidade mais monstruosa do mundo hoje, não há nenhuma cidade que tenha tanto cimento por metro quadrado, tanto asfalto. São Paulo é um mar de asfalto. E os paulistas estão contentes, espantosamente contentes. Quando comento com eles que isso é uma boçalidade, eles dizem que não, que é a força do capitalismo, e eu argumento com cuidado. Mas gente, Londres tem mais capitalismo, Nova York também, Paris também e deixaram áreas verdes. Por que é que vocês não tomam a tapa esse Tietê e não fazem um quilômetro de jardim de cada lado? Os paulistas têm que ter onde pastar. Paulista sem pasto vai morrer. Dá dó a tristeza que é a vida de São Paulo hoje... É medonha. Eu reivindico pastos verdes para São Paulo. A mesma coisa em Belo Horizonte. Belo Horizonte também me assustou muito, Belo Horizonte é uma cidade engenharil, burra, sempre foi. Belo Horizonte é uma cidade de engenheiros que inventaram o teodolito, com o teodolito na mão eles desconheceram totalmente a topografia de Belo Horizonte, seu terreno montanhoso. Em cima daquele terreno ondulado com o teodolito, eles fizeram aquelas retas assim, não é? E traçaram em cima da cidade uma retícula perfeita. A gente, então, quando eu estudei em Belo Horizonte, não sentia isso, na juventude, da cidade não se via como a retícula era burra, engenharil.

PEDROSA – Eles têm entusiasmo pelo teodolito.

DARCY – Pois é. Com o entusiasmo pelo teodolito eles faziam aquelas retas, desciam morro, subiam morro. Agora, a cidade está impossível. Porque é uma outra. Posta ali em cima, a cidade nunca reconheceu o seu território e agora o território está se vingando dos belo-horizontinos. Por isso, Belo Horizonte crescida, enfilada, foi uma surpresa para mim. Mas o pior foi ver o que fizeram com a Pampulha. Meus conterrâneos me matam de vergonha... Aqui no Rio, me esperavam umas duas surpresas incríveis: a primeira delas foi ver a beleza da raça brasileira em Ipanema. A raça dos que comeram. Depois, fui ver Caxias, fui ver Madureira, lá é outra raça! A dos que não comeram. A figura dos que não comeram, do povão, de um lado, e a beleza de Ipanema é um tremendo contraste, contraste que existia já, antes, mas eu tenho a impressão, agora, de que as duas pontas aumentaram. A beleza de Ipanema está muito mais bela, as meninas e os rapazinhos, as tribos, são uma beleza. E as subtribos de Caxias, do Méier, estão mais terríveis ainda. Isto me assusta, me assusta no sentido de confirmar uma visão que eu já tinha do país, mas que piorou e o pior de tudo é que a gente parece não estar muito preocupada com isso. Há outras coisas que também me assustam, me deixam perplexo. Uma delas é a falta de apreço, a falta de amor por coisas que eram importantes para mim. Por exemplo: tinha um Serviço de Proteção aos Índios criado pelo Rondon que salvou muita tribo no Brasil. É claro que tinha defeitos, caiu numa grande decadência. Pois bem, aquele serviço desapareceu, jogaram fora toda a tradição rondoniana, que foi uma das poucas coisas humanísticas sérias que havia neste país, e jogaram o nome fora também, tudo para criar a tal da Funai! É uma fundação que parece querer ter lucro com os índios. Estou apavorado! Querem que os índios deem lucro. Lucro para eles próprios ou lucro pros outros?

PEDROSA – Um general disse não ver por que esse horror a que o índio tenha o seu destino natural de ser assalariado.

DARCY – Pois é, é tremendo, é uma brutalidade. Mas a maior brutalidade é ver juristas — esses mesmos que fazem os atos e éditos que estão aí — mexendo com as leis e com os índios com uma boçalidade total. O Rondon e a gente do Rondon inventaram o artifício jurídico de dizer que o índio era equiparado ao menor para dar vantagem a ele, para que ele não pudesse ser preso por um suposto crime cometido dentro da aldeia. Agora não, estão querendo emancipá-lo desta tutela e emancipar significa tirar as terras dele ou entregar as terras em parcelas individuais para que eles vendam aos que querem tomar a terra indígena. Isto é o que significa cobrar dele, como tutela, uma conduta de menor de idade, de imbecil que alguém deva gerir. Isso é muito ruim também. Outra coisa resta é ver o que fazer com uma instituição velha, vetusta, importante como foi o Museu Nacional. Vejo com humor a ideia de levar o Museu Nacional para o Fundão [UFRJ] Tão doidos, não amam mais as coisas. O mesmo ocorre com o Museu do Índio que eu criei. A gente do Museu não renova as exposições. Tá tudo velho, ruim. E o mais grave é saber que vai desaparecer para dar lugar a uma estação do metrô. Desaparecerá porque querem levá-lo para a casinha de Botafogo onde funcionava o ISEB [Instituto Superior de Estudos Brasileiros] e onde não cabiam nem os artefatos. Isto porque o apreço ao Museu do Índio, aos índios que todos os escolares do Rio visitavam antigamente, e que todo turista quer ver, não é suficiente para que se dê a sede que deve ter, que é o Parque Lage. E quem está fazendo investigação aqui? Eu encontro brasilianistas estrangeiros em quantidade, brasileiros muito poucos. Por outro, as manias dos cientistas assustam muita gente. Por quê? Então a minha pergunta em relação ao Brasil é de surpresa pelas coisas que eu vejo. Sinto nas pessoas também o que você chama avidez, e que é lindo. A gente acha que nós, que vivemos fora tantos anos, temos o que dizer, mas nós chegamos aqui perguntando: Como é que vão as coisas, gente? Quando é que chega a democracia aqui? E o pessoal também pergunta para nós: Como é, como é que vai ser a democracia aqui? Porra, a gente não sabe [*gargalhada cavernosa do Gullar*], a gente veio pra cá, está aqui pegando uma xepazinha nessa vida, com o gozo de poder viver aqui, de poder trabalhar junto, de poder ser solidário, de poder fazer coisas novas, boas, sérias, na terra da gente. Mas não podíamos trazer solução nenhuma. Esta expectativa generosa em relação a nós talvez se explique porque pensam que cada um de nós é igual àqueles melhores de nós, que teriam alguma coisa para trazer mesmo, mas que estão proibidos de contribuir para o Brasil porque estão privados de conviver esse tempo todo. De qualquer forma, é uma coisa simpática, agradável.

FERREIRA GULLAR – Quanto ao problema da avidez, eu acho que o pessoal aí já disse, já definiu, a razão da avidez. Eu gostaria de mencionar aqui um fato. Eu, quando cheguei, estava meio anestesiado, sou meio lerdo, então, as coisas me atingem e só vou tomar consciência muito depois, de modo que ainda continuo meio atordoado. Agora, quando fui, depois de ter chegado aqui há uns dois meses, eu, por uma razão pessoal, tive que ir a Jacarepaguá, aonde não ia, realmente, há muitos anos, antes mesmo de sair do Brasil. Era um dia de sábado à tarde e não conseguia voltar de lá. Começou a me dar um certo pânico porque o frescão que deveria pegar não aparecia e depois de muito tempo, quando apareceu, foi como uma fera espantosa, passou pelo ponto e foi em frente. Então, as horas se passavam e fiquei ali observando aquelas pessoas, aqueles ônibus que paravam e aquela quantidade de gente, os ônibus entupidos de cair pessoas pela janela e aquelas mulheres com crianças no colo, subindo naqueles ônibus em que incrivelmente continuava a caber gente. E aquela era a vida normal delas, normal, comum, pegar aquele ônibus e no meio daquela confusão toda, daquele desconforto total, aquele calor incrível, depois ter que saltar para pegar outro ônibus e ir para o inferno, sei lá onde poderiam morar aquelas pessoas, certamente muito longe dali. Ao mesmo tempo, passavam automóveis, sabe, carrões, com sujeitos dourados de sol, seminus, de um aspecto espantoso assim, assustador, não é pelos carrões ostentosos, com caras queimadas de sol, dourados, fortes, saudáveis. Um parou o carro perto de mim, no lugar em que eu estava, parou aquele carro bruscamente, saltou ostensivo, entrou numa tabacaria, ele vinha com um cachimbo. Seminu. E de cachimbo! E aí comprou um troço por lá. E aqueles pobres seres humanos ali olhando aquele troço e tudo ostensivo e... E eu pensei, vendo aquela coisa, era muito carro, muita gente, e eu pensei que aquele mundo não tinha nada a ver comigo. E eu pensei o que é que era a poesia, a literatura brasileira? Drummond, Murilo Mendes. Aquele pessoal não está tomando conhecimento de nada disso, quer dizer, há um outro mundo, um traço que a gente vê que se mede por outros valores. Isso me deixou bastante espantado, sabe? Um tipo de sociedade está se formando e eu a chamaria de capitalismo selvagem. Até o chamado velho capitalismo, se formando organicamente, preserva uma série de valores, porque dado o ritmo de transformação há tempo de preservar alguma coisa, de enraizar alguma coisa.

DARCY RIBEIRO

Mas, por exemplo, o que falou o Darcy, o que falou o Mário, e que combina com essa visão suburbana que eu tive, quer dizer, é o mesmo processo de destruição de tudo. E depois, outra coisa que me impressionou muito. Um dia aconteceu o seguinte: eu estava trabalhando no jornal, lá no centro da cidade. Não conseguia trabalhar porque estava um bate-estaca, bá-bá-bá-bá, sem parar. Saí de lá e fui para casa de um amigo jantar. Não se podia conversar porque tinha um bate-estaca: bá-bá-bá-bá. E de manhã tive que ir na casa de um outro amigo. Fiquei na porta esperando abrir e tinha outro bate-estaca. Quer dizer: é uma cidade em obras. Em todos os lugares onde eu chego tem canteiro, tem buraco, então os prédios vão sendo feitos e destruídos sem parar e a cidade esburacada sem parar. Então, isso atormenta a vida das pessoas também, sem contar os automóveis. Eu quero saber o que vai acontecer com o Rio de Janeiro, sabe? Em Ipanema já não se pode mais andar nas calçadas e continuam a entrar seis mil automóveis por mês nessa cidade. E se continua a produzir automóveis sem parar. Eu quero é saber o que é que vai acontecer. Eu imagino que um dia alguém passará de avião por essa cidade e as ruas da cidade serão um coágulo só de automóveis espalhados, tudo enferrujado, e aí dirão: aqui era uma cidade onde um dia deu um engarrafamento total! [*risos*] O pessoal abandonou e foi para outro canto. Se não parar é o que vai acontecer. Tudo tem limite, ao que eu saiba, no espaço as coisas têm limite. Estas foram as coisas que mais me chocaram. Agora, do lado positivo, eu vi o seguinte: eu fui a São Luís, depois fui a Recife, depois estive em São Paulo e tal. Então eu observei que há um grande interesse da juventude pelas coisas da cultura, pela arte, pela poesia. Pela poesia, então, é surpreendente, porque a poesia sempre foi um troço muito desprestigiado, de uma minoria muito reduzida e hoje há uma grande quantidade de jovens fazendo poesia, inclusive buscando formas novas de divulgar a poesia, editando os seus livros em mimeógrafo, distribuindo seus livros, vendendo nas filas de cinema, criando grupos para declamar poesia. Existem muitos poetas jovens brasileiros correndo pelas universidades, as faculdades, os teatros, por cidades do interior, por tudo quanto é canto, fazendo recitais de poesia, um troço realmente surpreendente. Esse é um aspecto positivo.

ELIZABETH – E você, Glauber, o que tem a dizer dessa avidez das pessoas em torno das suas opiniões?

GLAUBER – Estar aqui nesse bate-papo é uma situação um pouco estranha para mim porque por acaso estão presentes pessoas que, inclusive, me lideram. Eu estou diante de três líderes. Eu sou um quarto escalão aqui, vamos dizer.

GULLAR – Não é verdade.

GLAUBER – Isso quase me coloca numa posição assim constrangedora e também quase com vontade de fazer algumas perguntas que eu tenho dentro de mim e que não encontram respostas, por que inclusive para ter resposta preciso ler vocês, falar com vocês e tal, embora não representemos nenhum grupo político nem nenhuma organização política, quer dizer, porque as pessoas vão ver que se reúnem aqui quatro pessoas que estiveram por vários motivos exiladas pelo mundo durante um período. De qualquer forma, a partir desse reencontro aqui, somos sobreviventes do exílio, porque muitos estão exilados e outros morreram; nós, por motivos diversos, nos encontramos aqui para discutir a respeito da nossa volta e do Brasil. Eu acho que o fato de estarmos aqui discutindo significa que alguma coisa já mudou no Brasil. Eu não participo de uma visão pessimista sobre o Brasil por um motivo simples: eu acho que essa é uma civilização nova... Civilização... Não gosto desse termo. Eu acho que civilização e barbárie, dois termos da antropologia racista, classista, quer dizer, esse negócio é outra concepção. Bárbaros e selvagens somos todos civilizados. O Brasil é uma sociedade nova, 477 anos, do ponto de vista das histórias das civilizações é uma infância, não é nem uma adolescência, é um negócio em formação ainda. Infelizmente, para mim, que sou protestante e anticatólico, ao voltar, o meu primeiro choque foi descobrir que era um país católico. Isso me chocou muito, porque como protestante eu nunca tomei conhecimento do catolicismo, segui minha livre interpretação dos fatos sem ser controlado por nenhum catolicismo, por nenhuma noção de pecado, e tive uma série de embates com a sociedade brasileira através de minha participação de jornalista, de cineasta, e só fora é que comecei a suspeitar, não de uma coisa histórica, historicamente eu sabia que o país era católico... Não o catolicismo como religião nem como filosofia, mas catolicismo como o grilo. Em que sentido? Estruturou-se nos inconscientes dos brasileiros uma noção de pecado, de culpa, de medo, de hipocrisia, de penitência, de falso heroísmo e de demagogia que fez com que ninguém ouse — ninguém não, mas pouquíssimas pessoas ousam — pensar fora de certas normas culturais, filosóficas e políticas comuns à nação. Porque mesmo sendo uma sociedade nova e subdesenvolvida, ela também já tem, a par de toda miséria social, da fome, da exploração imperialista, da anarquia institucional, tudo isso, nós temos os nossos valores formados, alguns valores em formação, alguns princípios sobre os quais podemos discutir. Quer dizer, pode-se dizer que tem uma filosofia, uma política e tudo isso vem profundamente limitado por esse medo do pecado da polêmica no Brasil. Então, quando eu voltei ao Brasil, ao contrário de vocês todos, eu não tive problemas de caráter policial. Não fui preso, não fui chamado. Eu passei seis anos fora do Brasil, vivi em vários países do mundo, inclusive em países socialistas. Quando o meu passaporte venceu, eu solicitei um novo e ele me foi concedido pelo Itamarati. Eu não tive realmente problemas de caráter legal para voltar ao Brasil. Agora, ao contrário, eu tive e continuo tendo um grande problema aqui, que é um problema contraditório em relação à repressão e que coloca, para mim, um outro problema de repressão. Porque eu cheguei ao Brasil e fui violentamente atacado pela chamada imprensa progressista. Aliás, eu só vim aqui para dizer isso. Não vou dizer mais nada. É um registro histórico. Diante de pessoas responsáveis eu vou fazer a minha queixa, que vai num depoimento aqui contra pessoas sérias nesse país. O jornal *Movimento*, jornal progressista, do MDB, onde nós encontramos o nome de Chico Buarque de Holanda, Fernando Henrique Cardoso, Marcos Freire, Alencar Furtado e outros pessoas, me jogou na cara aqui por quatro semanas uma manchete dizendo "Dobram os sinos por Glauber Rocha". Me condenaram à morte politicamente, me disseram que eu era um vendido ao fascismo internacional. De agente da CIA vendido ao SNI, de agente policial, eu fui chamado abertamente na imprensa. O jornal *O Pasquim*, o seu Jaguar publicou que eu tinha recebido cinco bilhões do seu Ney Braga, no *Jornal do Brasil*, disse que eu era louco, que enquanto eu não fosse internado isso era perigoso politicamente para o Brasil. Bom, eu não quero acrescentar outros personagens que participaram dessa campanha, mas isso revela o seguinte: por que essa campanha contra mim? Porque eu fui para o exílio, estive, como todos os brasileiros responsáveis aqui, comprometido com o processo político brasileiro, mas mantive sempre uma posição de nunca pertencer a partido político nenhum, porque as ideologias dos partidos políticos vigentes no Brasil de esquerda ou direita nunca me entusiasmaram. Eu sempre achei que os partidos liberais são instituições decadentes da velha sociedade europeia e o Partido Comunista nunca me satisfez do ponto de vista político porque as opiniões no terreno da arte e da cultura difundidas por intelectuais ligados a ele nunca me agradaram, inclusive internacionalmente. Eu sempre fui um cara grilado com o problema do massacre stalinista dos intelectuais na União Soviética. Sartre denunciou isso, todos os intelectuais responsáveis do mundo denunciaram isso ainda em 1954. No Brasil, Jorge Amado se levantou em defesa do Boris Pasternak, eu me lembro disso na Bahia. Quer dizer, não afino com o Partido Comunista, e quero registrar isso historicamente, compro as inimizades, assumo até perigo pessoal. Eu quero aproveitar para romper solenemente aqui com esse partido. Ele provocou grandes erros políticos no Brasil. Tem uma política cultural desastrosa, fascista, limitativa, castrativa, é colonizado pelo modelo soviético, nunca tentou uma crítica direta da realidade brasileira, esteve a reboque da burguesia nacional, sempre tentando ou o oportunismo político ou negociar os dissídios da classe operária no Brasil. E discordo em geral inclusive da orientação dos países comunistas. Até morei em Cuba, fui um dos primeiros brasileiros a escrever sobre a Revolução Cubana, estive em Cuba como cineasta e não como enviado de organizações políticas. Fiquei escandalizado em ver como a revolução cubana se deixou, justamente em nome da segurança e do desenvolvimento, do progresso e do humanismo, se transformar em colônia soviética. Hoje Fidel Castro faz um papel de intervencionismo pró-soviético na África. Hoje é um amigo do Jimmy Carter, que eu considero uma espécie de Van Johnson da política. A diferença para mim do Nixon para o Jimmy Carter é a diferença do Humphrey Bogart para o Gary Cooper. É um filme da Metro Goldwin Mayer. Não me convence. Fiquei decepcionadíssimo com o Brizola ter ido falar na *Voz das Américas*. Realmente, eu escrevi no *Correio Braziliense* um artigo pedindo — pedindo não, que eu não peço porra nenhuma — dizendo que o Brizola deveria ser considerado, quer dizer, fazendo um artigo positivo sobre o Brizola e o Brizola no dia seguinte dá essa demonstração de colonização cultural, de passividade, de desconhecimento da realidade brasileira. Não estou de acordo com a política do MDB, acho que ela faz uma crítica superficial ao governo, faz uma crítica demagógica.

ELIZABETH – Glauber, péra aí, é que tem esses pontos aqui que eu queria seguir...

GLAUBER – Beth, deixa eu acabar aqui, eu estou gripado, estou com febre, deixa eu dizer logo depois você monta. Não estou de acordo com a política do MDB porque acho que é uma política colonizada. O MDB, na verdade, é um partido, como diz o Zé Bonifácio, a serviço do imperialismo internacional. As multinacionais estão muito melhor representadas pelos caras do MDB do que pelos oligarcas e pelos burocratas da Arena. Eu prefiro os burocratas do Francelino Pereira a esses demagogos que ficam falando em liberdade e ao mesmo tempo abrindo o Brasil para o imperialismo americano numa ingenuidade ideológica. Por exemplo, o senhor Lysâneas Maciel, deputado cassado — que é protestante, inclusive, é da minha religião, mas eu sou protestante nacionalista —, é assessor do Jimmy Carter. Quer dizer: um dia intelectuais ilustres vão pedir para a Cavalaria Americana salvar o Brasil. Eu acho que isso aí é um negócio importante, porque eu não sou nacionalista do ponto de vista da xenofobia, eu acredito numa nação como o Brasil, uma nação importante, grande, uma nação que realmente vive crises históricas, porque 1964 para mim não foi um corte epistemológico, foi apenas mais uma exclusão do processo histórico brasileiro. A nação brasileira, realmente, como diz o Mário Pedrosa, é uma nação que está se perdendo, mas nós temos que resolver nossos próprios problemas. Então, nesse sentido, sou rigorosamente nacionalista. Eu sou antissoviético, antiamericano, antichinês, antissocial-democracia europeia. Acho que no Brasil nós temos a possibilidade de criar realmente um modelo político novo e essa ideia de criar um modelo político novo não é um absurdo do ponto de vista da imaginação. Ele encontra, inclusive, raízes na nossa cultura. A cultura brasileira, desde os seus primórdios, e digo de um ponto de vista realmente humanista e não do ponto de vista tecnocrático como é tratado hoje, por exemplo, pelos críticos do CEBRAP, que eu considero um organismo altamente prejudicial ao Brasil, porque condiciona a política brasileira a uma pré-ideologia deles que não tem nenhum consenso moral para garantir. Porque se o consenso for o marxismo-leninismo esse consenso já era, porque o marxismo-leninismo para mim é um fenômeno histórico russo que deu no que deu. O Marx, autor do roteiro, serviu a mil interpretações. Então, materialistas e dialéticos todos nós somos. A linguagem da esquerda francesa e latino-americana não dá para passar mais, já era, superou-se no Chile, na queda de Allende. Darcy Ribeiro fez um brilhante ensaio explicando, aliás, como caiu o Allende, da mesma forma que caiu o Jango aqui, quer dizer, se caiu. Lênin dizia que em política tudo é ilusão exceto o poder. Se não foi Lênin foi Jean Cocteau, não tem importância, disse o seguinte: "Em política, a única lei científica é a tomada do poder". Então, se caiu o Jango, se caiu o Allende, é um esquema populista, o esquema liberaloide, pseudorrevolucionário, é demagogismo, esquerdismo de classe média histórico, um esquerdismo colonizado da classe média pequeno-burguesa que se deixou colonizar pela terrorismo internacional, a crítica ao terrorismo no Brasil é profunda porque ela é, aliás, uma crítica que os próprios movimentos terroristas já fizeram, tá publicado no Maspero, em Nova York, em todo lugar. No Brasil, não se faz esse tipo de crítica. O livro de Régis Debray, que é um livro altamente daninho, o Fidel Castro enfiou ele na cabeça da juventude latino-americana e provocou grandes mortes, foi autocriticado por ele, Debray, que já escreveu a crítica das armas, já entrou para o Partido Socialista. No Brasil não se faz a crítica disso, porque isso teria que se dizer: a colonização cultural feita pelo Fidel Castro sobre áreas culturais brasileiras, a submissão ideológica, entendeu? A esquerda brasileira que está presa, que está sendo brutalmente torturada, ainda, como se passou ontem, que nós vimos aqui, ao lado do discurso do presidente, que anunciava conceitos de uma nova democracia, citando filósofos importantes, um discurso aliás surpreendente e importante, que merece leitura acurada, sem a irresponsabilidade desses intelectuais elitistas. Pois ele contrastou com a denúncia de torturas graves do país contra intelectuais de esquerda. E eu vou observar e vejo que fazem parte de um movimento pró-emancipação. Que movimento é esse? O que é que significa? E a gente descobre que é o último remanescente dessas coisas maoístas e trotskistas que implanta-se junto aos jovens. E saem esses jovens a desenvolver uma atividade subversiva elitista e morrem nisso! Quer dizer, é o cristianismo elevado a nível de metáfora paranoica e grotesca, porque quando se lê hoje as autocríticas do movimento terrorista, que eles mesmo escreveram, e aqui não estou falando mal deles, não estou tratando aqui de caráter psicológico, estou tentando fazer uma análise materialista desse fato, eles mesmos reconheceram isso. Então é isso: nós nunca tivemos substância ideológica. Eu notei no Brasil foi essa hipocrisia, esse catolicismo, ninguém discute os problemas. A esquerda é sagrada. Ninguém discute o PC, ninguém discute o movimento terrorista, ninguém discute nada. Quer dizer, é sagrado. Porque foi preso, torturado e morreu é sagrado. Não, não acho isso. Não gosto de heróis. Brecht dizia: "Pobre do país que precisa de heróis". Eu acho o seguinte: Descobri fora que nós somos colonizados mesmo. Mais do que a gente pensa. Colonizados sexualmente, colonizados na cuca, as pessoas mais progressistas gostam de Gary Cooper, de Marlon Brando, de cigarro Marlboro, de uísque americano, é um servilismo num país em que Emanuelle vai ao Congresso, em que Sylvia Kristel, a pornografia entra no Congresso e o Petrônio Portela, o articulador, recebe porque não sabe quem é, isso é que é grave, a desinformação total.

PEDROSA – Esse é o melhor aspecto dele.

GLAUBER – Pois é. Estou dizendo. Péra aí, eu só vou concluir. Eu coloquei essas questões aqui, são temas para debate... Agora, eu só quero dizer o seguinte...

DARCY – Péra aí, precisa tomar cuidado, péra aí, é só para você assinalar uma coisa... Pelo que você disse alguém pode entender que você está de acordo com a tortura.

GLAUBER – Não, eu não estou de acordo com a tortura. Eu

estou fazendo a seguinte crítica... É uma crítica que o Sartre fez... Quem leu o livro da tortura na Argélia, do Sartre, que o Jung diz: "Os católicos adoram o Cristo crucificado". O meu Cristo é a ressurreição. É o Cristo do apocalipse, não é o Cristo dos quatro evangelhos. Então, esse negócio é importante. A segunda coisa é a seguinte: a tortura é uma brutalidade. Nesse país se torturou muito e barbaramente, e com a complacência, inclusive, das elites, com a complacência, inclusive, da grande burguesia, que hoje fala em liberdade. A tortura tem que se entender exatamente como um grande fenômeno — quer dizer, a fenomenologia é escatológica — dessa contradição que existe aqui do país colonizado. Mas eu quero dizer o seguinte: os torturados, as vítimas, não estão isentos de crítica dos seus erros políticos. Porque não se coloca a crítica filosófica. É uma esquerda que vem fracassando, ela está errando. O sujeito tem que entender. Eu tentei abrir a crítica à esquerda e descobri que no Brasil a crítica filosófica ao pensamento baseado no marxismo, no leninismo, no maoísmo, está interditada. Quem colocar é chamado de agente da CIA. É proibida. Então, eu sofri essa censura. Fui reprimido por jornais progressistas, entendeu? Fui atacado por pessoas de importância no país. Descobri em corpo presente, em menor escala como estão sofrendo Caetano Veloso e Gilberto Gil, o terrorismo, de um organismo que não existe, porque essa tal de revolução brasileira fracassou em 1964. Então, o que eu propus foi sair do zero, botar a bola no meio de campo e ver quais são as forças que estão atuando. Inclusive, tem uma outra atitude crítica em relação ao governo Geisel que realmente marca uma ruptura histórica no Brasil, queiram ou não queiram os analistas, os pessimistas, as Cassandras, como ele mesmo diz. Eu acho que o Geisel provocou uma ruptura importante aqui nesse país. Permitiu que o debate se restaurasse no país, colocou nas suas próprias palavras as questões sociais e econômicas diante do imperialismo, do povo brasileiro. Nos discursos de Geisel estão contidas todas as questões. Eu li, reli, estou tomando nota. É um pensamento importante. A intelectualidade brasileira não está levando isso a sério, as pessoas estão achando que é demagogia, o MDB está cego diante disso e, na verdade, o Brasil vive momentos novos. Não momentos de entusiasmo, não momentos de glorificação, não, ao contrário, um momento de realismo crítico. Nós estamos descobrindo a nossa miséria, a nossa limitação. Se a gente é limitado economicamente, a gente é, também, limitado culturalmente. Embora aí eu discorde, eu vá discordar fundamentalmente de uma tese de que a produção intelectual independe dessa relação econômica. É a tomada de consciência — isso é Marx que diz — que faz você se libertar desse conceito de classe. É nisso aí que os cientistas brasileiros todos entram pelos canos. O mecanicismo marxista, economicista, não filosófico, domina o Brasil hoje, e a miséria intelectual vem disso. Essa é a minha exposição e, digamos, é o meu registro e nem tenho nada para dizer mais, inclusive.

ELIZABETH – Você falou num modelo nacional, num modelo brasileiro, num modelo cultural...

GULLAR – Péra aí, uma questão de ordem. Desliga esse treco. [*ouve-se o "plac" do gravador sendo desligado.*]

GLAUBER – Pode até não divulgar o que eu disse.

GULLAR – Agora eu vou falar.

GLAUBER – Se você quiser não divulgue o que eu disse. Que aqui, realmente, envolve comunismo... [*a fita derrapa, pressionada pela mão de alguém sobre os controles do gravador*] Tudo bem, mas eu acho que a democracia começa pela colocação dela dentro do que as pessoas pensam. Eu não transo com a hipocrisia, realmente. Então, o seguinte: eu disse o que eu penso. Agora, retiro a gravação pelos inconvenientes.

DARCY – Retira, retira, retira toda não.

GLAUBER – Não, Darcy, péra aí, eu retiro toda. Eu levei em

consideração o que o Gullar diz, não porque eu retiro o meu pensamento.

Darcy – Claro.

Glauber – Retiro, democraticamente, pois é uma colocação que pode criar compromissos.

Elizabeth – Espera aí, espera aí...

Glauber – É uma posição inalterável. Mas outra coisa que eu queria dizer é o seguinte...

Elizabeth – Mas continua persistindo um problema que eu gostaria muito de abordar aqui...

Glauber – O que eu quero dizer é o seguinte: eu retiro o problema, agora acho que esse debate aqui, que é um debate que se for publicado vai ter repercussão no país, se a questão do PC não for discutida aqui eu me recuso a participar, porque vai ser uma babaquice, porque o Partido Comunista se discute na Itália, se discute na França, discute em qualquer lugar.

Elizabeth – Se discute em democracias na Europa.

Zuenir Ventura – É que você pode criticar o Partido Comunista e não pode defendê-lo publicamente. É uma coisa que criará problemas para quem fizer a defesa. Então, eu acho...

Gullar – [retomando em primeiro plano] Você pode escrever um artigo, Glauber, e dizer tudo isso o que você pensa, tudo o que você disse aí.

Glauber – Gullar, isso eu não faço porque se eu fizer isso a esquerda me mata, me assassina.

Gullar – É o que você acaba de fazer, isso vai ser publicado.

Glauber – Não, agora não, agora não vai mais.

Gullar – Eu estou dizendo o seguinte: isso que você pensa, você tem o direito de pensar e você pode escrever, publicar e tal. Agora, nesse tipo de debate... Pode continuar, agora, eu me retiro do debate porque eu tenho uma posição em relação a esses problemas que, se eu for ouvir em silêncio, vou estar concordando com o que você está dizendo.

GLAUBER – Então, Gullar, então a gente não pode mais discutir nada no Brasil, porque é o seguinte...

ELIZABETH – Espera aí, vamos ouvir o Mário [*que estava há tempos querendo falar, pois antes o Darcy insistira para que a palavra lhe fosse dada*].

GULLAR – Você está descobrindo isso agora? Nós estamos numa ditadura, rapaz!

ZUENIR – Deixa o Mário falar.

GLAUBER – Eu não concordo tanto. Acho que ditadura é na União Soviética, bruta.

DARCY E BETH – Também.

GLAUBER – Também não. Lá é que é foda. Aqui é diferente.

GULLAR – Lá é o seguinte: lá eu faria esse discurso e você diria: "Gullar, me retiro porque eu não posso falar".

GLAUBER – Não.

[*gargalhadas gerais prolongadas. Glauber tenta falar mas sua voz é abafada. Volta-se a reivindicar do Glauber que deixe o Mário falar*]

PEDROSA – Eu acho que a discussão degenerou porque o Glauber declarou logo no princípio que ele não ia participar da discussão tal como se apresentara. Ele iria dar sua opinião e calar. Foi isso que ele disse, não foi?

GLAUBER – Isso como tese para discutir, depois eu podia me defender e tal...

PEDROSA – De modo que ele fez essa defesa de seu ponto de vista, mas o fez de uma maneira de tal ordem veemente, que ele também excluiu toda a discussão geral, porque a discussão de repente não se podia mais colocar como ela tinha sido colocada. Me senti também devendo responder a ele que não concordava com uma série de coisas. Inclusive em relação ao Partido Comunista. Todo mundo sabe que minha posição é anticomunista há 200 anos. Mas houve uma deformação no início da discussão, de maneira que tornava a coisa dificilmente restaurada. E não se trata de retirar ou não retirar, tem que fazer um arreglo.

Elizabeth – Pois é, na verdade são quatro pessoas que têm uma série de opiniões e é importante que sejam ditas. O objetivo desse debate é exatamente esse.

Darcy – É, vamos dar uma repassada.

Glauber – Mas, ô, Beth...

Elizabeth – Não, espera só um momentinho.

Glauber – Eu retiro, eu retiro. Eu não quero... O papo é o seguinte. Agora, tomando a posição do Gullar. O Gullar disse que falava da cultura e não falava da política. São questões metodológicas. Então, eu retiro tudo e a gente conversa sobre outras coisas, sobre arte, sobre outros negócios, quer dizer, tudo bem.

Pedrosa – Espera aí. Eu escrevi um documento em que faço a crítica das esquerdas, faço a autocrítica da esquerda em geral, faço a crítica dela, não faço só a crítica não, concordo com várias coisas.

Darcy – Faz a autocrítica, não é?

Pedrosa – Faço a crítica a uma posição ideológica tão apaixonada, tão unilateral quanto a da direita. Eu faço essa crítica por escrito e quero publicar. Quer dizer: eu não estou passando a mão por cima da esquerda e considerando a esquerda sagrada. Nem estou achando que a esquerda tem todos os direitos. Não. Ela é errada. Ela errou. A extrema esquerda errou, o pessoal das guerrilhas errou, agora eu defendo a coragem, a bravura com que se defenderam. E eu acho necessária essa posição para poder restabelecer o equilíbrio geral e ver se os militares...

Mary Pedrosa – Ô, Mário!

Pedrosa – Péra aí, Mary, eu não estou... Se os militares possam tomar uma posição, que o outro lado existe também. O Brasil é a extrema esquerda, é a esquerda, é a direita. Isso é necessário para retomar o Brasil, porque nós estamos numa confusão total, conceitual, geral, que não tem saída senão recomeçar o Brasil. Reunir uma espécie de casa do povo. Eu acho importante o papel que a Igreja está tomando aqui. Da maior importância. E acho que a posição dos militares hoje em dia é ultrassuperficial se não restaurarem nada, e não podem restaurar nada na situação brasileira. De maneira que eu não estou de acordo em dizer que não há quem faça a crítica da esquerda. Eu faço a crítica da esquerda filosoficamente, e acho que está errada também. Por isso, eu sou a favor da Constituinte, geral, de todos, e só ela poderá permitir ter uma visão global do país.

ZUENIR – O problema que se coloca, Mário, é que a crítica é possível fazer publicamente. Agora, se alguém fizer a defesa, essa defesa será confundida com a identificação com o próprio objeto de análise.

GULLAR – Uma subversão.

ZUENIR – Uma subversão. Quer dizer, você faz a crítica e se eu quiser fazer a defesa, por mais objetiva que ela seja, evidentemente, que vai trazer problemas para mim. Para quem fizer. Isso não dá para discutir publicamente. Esse tema eu acho que é um tema que realmente não dá.

GLAUBER – Então eu concordo e retiro as minhas opiniões todas.

ELIZABETH – O próprio Glauber falou da necessidade de se criar um modelo brasileiro. Existe uma proposta, no Brasil, de se interditar produtos estrangeiros com intuito protecionista. Essa é uma posição que está sendo defendida principalmente na área de cinema. É uma posição que o Nelson Pereira dos Santos assumiu publicamente, em entrevista ao Zuenir, dizendo que ele achava bom que se fechasse as fronteiras ao filme estrangeiro. É uma posição que o Paulo Emílio Salles Gomes também assumiu. Ao mesmo tempo, fala-se muito numa xenofobia cultural. Como vocês se posicionam diante dessa discussão?

GLAUBER – Beth, eu acho apenas que você não expôs bem o seu assunto. Vou explicar por quê.

DARCY – Então coloca isso para nós, Glauber.

GLAUBER – [*continuando*] — O que a Beth coloca — ela inclusive falou em fatos secundários — como o problema da luta que a classe cinematográfica nesse momento enceta, aliás com sucesso, contra a penetração do filme estrangeiro, inclusive com vitória política. Nós conseguimos arrasar aqui uma personalidade altamente importante da política americana, e desconhecida no Brasil, que é o senhor Jack Valenti, o sujeito que representa a cultura de massa americana, que veio ao Brasil para falar com o Geisel e com o Ney Braga, para não prosseguir no plano de vetar os enlatados, posição já publicamente assumida pelo ministro das Comunicações, e nós conseguimos uma grande vitória. Outro problema: a estatização do Brasil é um fenômeno preocupante para o capitalismo internacional. Isso vem refletido, desde que eu cheguei no Brasil e há bastante tempo, em uma série de artigos publicados na imprensa brasileira, inclusive num artigo chamado "O Estado socialista" duma pessoa que não me lembro. Hoje o Sérgio Augusto no *Pasquim* dá uma lista de fatos, de artigos que vêm acusando o governo de ser esquerdizante, socializante, nacionalista, artigos publicados no Brasil ao longo do tempo, nos vários jornais. A posição do governo brasileiro diante dos Estados Unidos, por exemplo, é muito importante. O governo brasileiro rompeu com o acordo, denunciou o acordo militar com os Estados Unidos, numa demonstração de independência estratégica dentro do mundo contemporâneo, manteve contra os interesses imperialistas, mantém a posição firme de desenvolver a energia nuclear aqui no Brasil como um fator importante de defesa do país e do desenvolvimento interno, os sindicatos reapareceram na imprensa brasileira e na vida pública, diga o que disserem, que são sindicatos controlados ou não, que o que importa é que é o sindicato, a classe trabalhadora que aparece em todos os momentos. Ao mesmo tempo o debate político se abriu no país e ao mesmo tempo as questões sociais, econômicas e políticas foram discutidas abertamente pela imprensa do Brasil. Eu acho que isso é matéria para se refletir. Mas o que é que ocorre? As pessoas mais compromissadas com os esquemas partidários não veem a nova realidade, inclusive por preconceito de caráter político e cultural muito grave, que se explica, inclusive, nesse livro desse cara aí, que saiu agora. Em suma, retirando o que eu disse antes, tudo o que eu não quero que seja publicado, o que eu digo é o seguinte: é necessária uma análise concreta, objetiva, materialista, dialética sobre as contradições do Brasil atual. Algo que se passa no país. Isso tinha que ser discutido no tempo presente. Não, se discute em termos do passado em nome de um futuro utópico. E quando eu falo em sacralidade da esquerda, é porque qualquer tentativa de colocar uma discussão crítica a respeito do papel, hoje, da situação política do Brasil nesse governo Geisel, que eu insisto em defender, baseado apenas...

DARCY – Assim não dá para discutir.

GLAUBER – A discussão não se abre, então ela fica fechada.

ELIZABETH – Mas eu fiz uma pergunta específica, entendeu?

PEDROSA – Eu acho isso: quando eu cheguei para cá eu senti uma coisa, liberdades democráticas, tudo muito bem, só se fala nisso, o governo fala em democracia relativa, mas uma coisa não se pode fazer. Tem que se atacar o comunismo de qualquer maneira, para se poder legalizar e eu não topo essa história. Eu acho isso uma monstruosa deformação de todo processo político e até liberal, porque não se pode continuar a ter o comunismo como um monstro contra o qual o Brasil se levantou e os americanos se levantaram. O próprio Jimmy Carter já declarou que não havia mais medo do comunismo nos EUA. Declarou em alto e bom som, e com isso ele mudou de posição. Mas aqui há generais que continuam a querer fazer guerra à China, porque, se reconhecermos a China, tem que fazer guerra ao comunismo... Então, eu acho isso necessitando de uma retificação completa, para um intelectual de esquerda, de direita, seja que diabo for, para tomar uma posição clara, dizer que não, que não entra nessa esquizofrenia anticomunista de 1964. Não tem sentido nem aqui nem em nenhuma parte do mundo, a não ser nesses regimes militares da América do Sul, na Argentina. Isso é importantíssimo que se diga: eu não sou nada comunista, não gosto dos comunistas, acho aquilo tudo errado, mas não posso admitir que se tenha os comunistas como qualquer coisa de absolutamente maldita. Essa mistificação de 1964, macartista, acabou.

ELIZABETH – Gostaria que a gente discutisse aqui um tema levantado pelo Glauber que é o de um projeto cultural brasileiro. Fala-se hoje na limitação dos produtos culturais importados com uma finalidade protecionista.

DARCY – Se dependesse de mim, eu limitaria mesmo. Acho que o Brasil sempre progrediu mais quando estava fechado do que quando aberto. Durante os períodos de guerra mundial, por exemplo, a indústria do Brasil cresceu. Pode-se dizer que a indústria brasileira cresceu mais agora, mas cresceu mais não para o Brasil. Nossa situação hoje é muito peculiar. Todos nós aprendemos, durante anos, que era uma coisa horrível ser uma república de bananas. Essas repúblicas da América Central que a United Fruits organizava e que eram chamadas de *policial*, e que que garantiam à United Fruits as plantações de bananas, as plantações de abacaxi. Mas é melhor ser república da Volkswagen? Talvez seja pior que ser república de bananas. Porque república de bananas exportando bananas produz dólares, e república da Volkswagen não produz dólar. Então, o país de alguma forma tem que produzir dólar para mandar para fora, para pagar o Volkswagen que se faz aqui. A situação que se está criando no Brasil é de que nós confirmamos um destino histórico infausto, infeliz. Nós fomos fundados como um empreendimento que não existia para o seu povo. Um empreendimento feito aqui pelo português para queimar o povo indígena. Para queimar negro trazido da África, que era queimado no trabalho. Se queimava índio, se queimava negro, por quê? Para dar à Europa açúcar. Depois, para dar café, ou juta, ou soja, ou dólares. Esse país nunca existiu para o seu povo. O povo nunca produziu o que ele comia, ele produz o que o outro come. E eu acho que continua sendo assim. E essa coisa terrível do Brasil hoje é que nós tomamos consciência, de repente, de que no passado nunca fomos atrasados tecnicamente, culturalmente, e nunca fomos pobres. As economias brasileiras através dos séculos foram sucessivamente riquíssimas. A economia do açúcar, o primeiro ciclo, foi a maior economia de exportação do mundo, no século XVI. A economia do ouro no Brasil, no século XVIII, o segundo ciclo, foi a mais rica do mundo. A economia do café até 1913 se baseou no principal produto mercantil do mundo. Só que, como os outros ciclos, era rica para muito poucos, os ricos. O povão era para queimar na caldeira. A indiada e a pretalhada era para queimar. O povo brasileiro surge como um subproduto mestiço, mulato, vagabundo. Um subproduto indesejado de um processo que não era para ele. Seu objetivo não era produzir, reproduzir, suas condições de existência, era enricar seus exploradores. Agora, o que é que acontece? O país continua sendo isso hoje: não existe para si. As diretivas são de que o importante é exportar, quer dizer, o importante é fazer o povo continuar trabalhando para produzir o que ele não come. A diferença do povo brasileiro para o povo italiano ou o povo francês é que o burrão do camponês francês ou italiano, ignorantão como o nosso, faz o que ele come. O *camembert* que ele produz ele come. O vinho dele ele faz e ele bebe. É totalmente diferente quando um povo não existe para ele mesmo, ninguém trabalha para preencher suas condições de existência. Trabalha é para o conforto do alheio, produzindo soja para pagar o fusca em lugar de produzir o feijão e a farinha que ele come. Tudo isto alegando que é preciso o rico ficar ainda mais rico, aqui ou na sede da multinacional, para que o pobre possa melhorar de vida.

Pedrosa – Para uma multinacional, o Rio é hoje como uma Cingapura.

Darcy – É uma loucura pensar que é preciso acumular para distribuir. Isso se diz desde 1500. Eu tenho procurado demonstrar o absurdo desse raciocínio que prevalece no Brasil. É como dizer a alguém que ele vai comer depois de amanhã o feijão que ele não comeu ontem. O que ele não comeu ontem ele não vai comer jamais na história! É preciso que isso fique muito claro. O que não se distribuiu nos últimos dez anos, o que não se distribuiu agora não vai ser distribuído jamais, porque esse os outros já comeram. Uns poucos estão comendo. Se alguém contasse esta história em termos de alegoria diriam que é inverossímil. Assusta esse país que cresce tanto, mas está proibido de crescer para si mesmo. Então, a condição fundamental para a existência nacional, para a segurança nacional, é que esse povo passe a existir de uma vez para si mesmo, podendo usar a sua terra, para produzir o que ele come, para ele comer aqui e agora. Fechar esse país significa reservá-lo para nós. Eu não queria fechar totalmente, quero, é óbvio, manter vínculos no plano artístico, no plano cultural. Eu suponho que mil vezes mais importante que o cinema seja a televisão. A televisão teve um êxito muito grande, é um instrumento prodigioso, mas eu não posso gostar desse êxito comercial que a torna culturalmente irresponsável. Quando se pensa que o que é bom culturalmente, bom pro povo, para entrar em cada casa e deseducar milhões e milhões de brasileiros, é o que vende mais isto ou aquilo, estamos perdidos. É aí que se importa francamente, é aí que os heróis e anti-heróis, as merdas da cultura mundial, entram em chorrilho por horas e horas em cada casa brasileira. A escola virou uma coisa ridícula, porque quando não existia televisão o menino podia tentar levar a sério a professora, que podia dizer: "Olha, ler é bom". Talvez ela nunca lesse Guimarães Rosa ou Jorge Amado, mas o menino podia ler um dia, aprender. Agora, com a televisão, ela está desmoralizada mesmo. Porque quando ela fala no rio Amazonas ele já foi lá, ele já desceu na Lua com aquele cara, pisou na Lua, viu tudo com a televisão, ele é protagonista da história do mundo. Por isso é que essa coisa prodigiosa é prodigiosamente alienante. Então se vê que a cultura que nós temos aqui não é a cultura brasileira, que nasceu aqui. Uma florzinha nossa, capaz de dar produtos singulares. Nunca foi. Ela veio da Europa. Nós nos criamos dentro dela. Então, o primeiro gesto criativo, a primeira igrejinha que se fez, foi barroca, não podia deixar de ser barroca, como a primeira fala foi portuguesa.

PEDROSA – Também acho. O Brasil começou importando arte moderna.

DARCY – E tinha que importar. O barroco era a arte moderna naquela época. E importou depois todos os estilos. O fundamental de se saber é que não se trata de cortar esse vínculo, que não podemos. Se trata de deixar de ser basbaque, de ficar bestificado com tudo o que dá pelo mundo. Se trata de ser capaz de olhar nossas coisas, ainda que com precariedade, de ver como nós nos refletimos nelas. Não se fazer uma arte singular, folclórica, tradicionalista. Glauber, quando faz um filme doido sobre a morte, está fazendo um filme de importância humanística mundial, mostrando que o homem é capaz de ter uma atitude nova diante da morte. Quando o Oscar Niemeyer faz umas coisas novas, como o Museu do Homem que ele está desenhando para Minas Gerais agora, ele não está explorando nenhuma linhazinha tradicionalista brasileira — ele está dando ao homem um estilo. O filme do Glauber ou o esforço do Oscar não é para fazer nenhuma artezinha nacional, não, é o discurso do homem que se desenvolve no Brasil, porque se há uma característica desse povo nosso em toda a nossa história é que, não tendo herança nenhuma, não teve passado nenhum. Nossos ancestrais eram uns negrinhos que vieram para cá, muito vagabundos, uns indiozinhos de tanga também, meio atrasados, uns lusitanos meio boçais. Como a coisa era atrasada, nós nascemos já dentro da merdosa, da civilização ocidental. E só dentro dela e rompendo com ela, refazendo, é que nós podemos nos realizar. Em nós o homem vai se realizar. Trata-se de fecharmos também para termos espaço para poder fazer. Se se faz um filme aqui para televisão, não só podemos ter uma intencionalidade educativa como isso aqui pode chegar a funcionar um dia. A função do intelectual, do criador literário, a função que ele tem que exercer mesmo é a de expressar o seu povo, é dar existência em linguagem artística às nossas vivências, ao nosso modo de ser, que é um modo de ser humano, e não apenas um modo de ser folclórico.

Glauber – Eu proponho que seja eliminada toda aquela introdução e o debate comece daqui, dessa colocação do Darcy Ribeiro, porque ele fez um resumo histórico do Brasil.

Elizabeth – Mas antes falou-se muita coisa interessante.

Glauber – Não. O que eu disse antes eu não autorizo publicar. Eu acho que tudo o que se disse antes foi uma discussão metodológica, para se encontrar o tom. Houve brigas, descargas, tudo mais. Darcy iniciou dando um apanhado histórico do Brasil que ambienta o leitor, que o leitor exatamente como ele diz não é culto, tem que se informar. Digamos que ele colocou a formação histórica, as contradições principais. Podemos começar a partir daí. Ele já falou, o Mário continua, o Gullar, num tom desse tipo que eu acho que vai poder desenvolver bem, vai poder tocar todos os assuntos. É bom começar daí, porque o resto é uma questão de método, são os prolegômenos.

Gullar – O Mário fala em seguida ao que o Darcy falou.

Glauber – Pois é. Aí fica um negócio meio didático, vai dar para transar direito. Começa daí, dessa colocação. A exposição dele foi brilhante, dá para seguir bem.

Gullar – Responda a pergunta que ele respondeu. A menina perguntou se essa questão de fechar o Brasil à produção cultural de fora, se é para fechar, o que é que você acha, qual é a sua opinião.

GLAUBER – O nacionalismo... O que é que você acha?

PEDROSA – Eu sou, em geral, contra o fechamento. Não é fechando que o Brasil vai criar uma cultura. O Brasil vai criar uma cultura a partir de um processo, difícil, de que o povo participe, em que haja uma política não de protecionismo cultural, mas uma política de Brasil, de brasilidade, nacional, brasileira. Eu não sou nacionalista. Eu sou nacional. Acho que, na atualidade, o Brasil está tomando uma forma totalmente espúria do que é o Brasil. O Estado brasileiro se desenvolveu e esqueceu a nação. Isso é muito importante e nós não estamos vendo isso. Trata-se de uma política ditada de fora, que não tem nada a ver, não é solicitada pelo Brasil, pelo povo brasileiro, pelas idiossincrasias brasileiras. É uma política ideológica vinda de fora, imposta pela força. É a velha política que se fazia no Brasil. O Brasil nasceu com o mercantilismo. Foi o mercantilismo que fez o Brasil, desde a cultura do açúcar e o resto pelas outras culturas. Isso é que eu acho importante: pegar o Brasil na sua formação.

O nascer do Brasil é uma das formas mais bonitas pela qual uma nação já nasceu. O primeiro encontro dos índios com os portugueses. Depois o Brasil teve a guerra dos holandeses, que é o be-a-bá de uma nação, da nação brasileira. O povo pernambucano se levanta e faz uma guerra nacional. A primeira noção de guerra de guerrilhas nasceu em Pernambuco, na guerra contra os holandeses. Os historiadores da época, a não ser um ou outro, só viam até há pouco tempo as intrigas diplomáticas de Portugal e Espanha com a Holanda. Não interessava o resto. Estiveram prontos para entregar o Brasil que lutava na colônia para defender sua integridade. Hoje o Brasil continua e a continuidade vem de Minas e de São Paulo. Depois do fim do século XVII, vem a descoberta do ouro, que foi o índio que descobriu. O índio é que era o dono do Brasil. Ele guiava às lavras de ouro, era o índio que levava. E isso é o Brasil. Rio e São Paulo. Essas coisas têm de ser ditas, vistas e redescobertas. Por outro lado, é preciso vomitar a ideologia capitalista que domina o Brasil, essa ideologia da acumulação pela acumulação, que diz que um dia o povo miserável vai receber uma parte das rendas. É uma mistificação que hoje o mundo não aceita de jeito nenhum. Há um processo no mundo que é o Terceiro Mundo, onde milhões de homens morrem de fome. A África, a Ásia, a América do Sul. Outro problema fundamental é a integração do Brasil com a América Latina. O Brasil nunca foi integrado com a América Latina. Vivia voltado para o Atlântico, para a Europa, e se desinteressava totalmente da América Latina. Mas hoje nós temos um problema fundamental: o Brasil tem que entrar definitivamente para a América do Sul. E tem que entrar através da Amazônia, que é a maior região do país. São dois terços do território brasileiro. O resto é peruano. E isso é muito importante, não só porque cria uma integração do Brasil com o Peru, com toda a região, como também cria um problema cultural importante. Você encontraria aí as suas origens culturais. Eu acho que o Brasil, por exemplo, faz parte do Terceiro Mundo. Parece que o governo tem a ideia de varar a Amazônia até o Pacífico, e isso é importante para a integração de toda essa região da América do Sul, que cria com a África uma corrente do Hemisfério Sul, que vai até o fim da Ásia, independente, rompendo com a subordinação ao Hemisfério Norte. Há um processo de desenvolvimento duro, difícil no mundo, em que o Brasil é um país importante. E tem que ser retomada de novo uma nova ideia, por uma nova realidade para o Brasil. Chegar ao povo brasileiro que vive na miséria, no interior. Esse é que é o futuro brasileiro, porque tal como está é uma nação incompleta, porque dois terços dela estão destinados a ser um deserto, a serem transformados numa coisa morta com o desenvolvimento, com a ideia da Transamazônica e outros desenvolvimentos capitalistas. Os intelectuais precisam se levantar contra isso.

GULLAR – A pergunta era se sou a favor ou contra se fechar o Brasil à importação de produtos culturais. Não sou a favor de fechar o Brasil não, embora eu ache que algumas medidas de proteção à produção cultural brasileira devam ser tomadas. As que foram tomadas, muitas delas eu considero acertadas, porque não há como idealizar as coisas. No plano do cinema, por exemplo, se você não estabelecer condições para garantir à produção cinematográfica parte do mercado, não se fará mais cinema no Brasil. Hoje mesmo, com as medidas de proteção, já existe um engarrafamento da produção cinematográfica brasileira. Filmes estão prontos e não têm como ser exibidos. Mas isso é um investimento. O dinheiro tem que ser reposto. Do ponto de vista da realização do diretor, ele faz o filme e quando o filme passa, ele já esqueceu o que fez. A própria alegria da criação e da comunicação desaparece, porque o filme fica na prateleira. Inclusive perde o sentido produzir se não posso exibir. No setor da música popular também. E isso não é apenas um problema cultural, um problema puro, é um problema profissional de sobrevivência, também.

PEDROSA – A música brasileira é boicotada?

GULLAR – É. Eu me lembro que numa certa época eu ligava o rádio e só dava música estrangeira. Verdadeira exceção você ligar o rádio e encontrar uma música brasileira. Nas boates só se tocava música estrangeira. Hoje em dia ainda existe aí uma série de boates, as discotecas, que vivem de fazer bailes com música estrangeira. Ora, se isso se generaliza, se não há nenhuma medida, nem no rádio, nem em outros setores onde se produz e divulga música popular, ora, o músico brasileiro, o compositor e o cantor brasileiros não vão ter onde trabalhar. E isso é uma morte cultural. Isso começou a acontecer em várias áreas da música popular. Os instrumentistas sem trabalho, sem condição não transmitiam a sua arte aos filhos nem os homens buscavam esses mestres do saxofone, do trombone, do violão, porque não tem por que aprender aquilo. Assim, morre um tradição cultural, morre uma coisa importante. Então, medidas têm que ser tomadas para garantir. Hoje mesmo os editores levantam a tese de que se deve garantir só 20% de produção de livros de autores brasileiros. Evidentemente, esse é um assunto muito polêmico. Alegam que muita besteira pode ser publicada, mas muita besteira estrangeira é publicada aqui.

DARCY – Muita, uma imensa quantidade.

GULLAR – Então, se é para publicar besteira, vamos publicar a nossa.

GLAUBER – Claro!

GULLAR – Porque, como diz lá o Walter Benjamin, da quantidade sai a qualidade. Se uma quantidade enorme de gente começar a escrever e publicar, isso estimula a leitura, estimula a produção cultural, e daí nasce a verdadeira criação. Então, eu sou a favor de algumas medidas. Agora, fechar o país à importação cultural eu acho que é maléfico. O processo é mundial, o processo todo da civilização é mundial, hoje mais do que nunca. Quer dizer, é a divisão internacional do trabalho, ela se dá em todos os campos, tanto no capitalista como no socialista. As descobertas, as pesquisas, as ideias estão circulando, e minha aspiração é de que circulem totalmente em todos os campos. Se eu soubesse que a minha opinião tinha a força de ser imposta a todo o mundo, eu desistia dela. Fico muito assustado hoje quando muita gente me procura querendo saber o que eu penso, os jornais e revistas divulgam minha opinião. Por mais que eu possa acertar num ponto ou noutro, a margem de erro do meu pensamento é muito grande, e consequentemente, a descoberta, a aproximação possível da verdade é uma tarefa de todos nós, de todas as pessoas.

PEDROSA – Depois, eu não acho que o governo brasileiro possa ter autoridade para fechar as fronteiras. Ele mesmo abriu o Brasil a tudo que é estrangeiro.

ELIZABETH – Glauber...

GLAUBER – O que o Darcy, o Mário e Gullar falaram, eu estou de acordo. Eu queria ampliar a questão porque eu acho que não se trata só de limitar a importação de filmes. É como o Gullar diz, não é só o filme. Aliás, o professor Darcy citou o problema da televisão. Na verdade, a televisão exibe filmes. Hoje, os filmes de sala cinematográfica são exibidos diretamente na televisão, quer dizer, a TV é o grande veículo exibidor desses produtos áudio-visuais, os dramas, os documentários, o telejornalismo, o esporte, a publicidade — e vai faturando. A gente nem sabe o que é novela, filme ou publicidade. É uma montagem que já se solidificou. É uma pasta. O problema não é econômico só, seria óbvio eu explicar aqui as contradições do empresário privado que investe além da concorrência. O empresário que investe em comunicação no Brasil, o editor de livros, o produtor de disco, o produtor de cinema e o produtor teatral se veem acuados por dois fenômenos, uma censura rígida e implacável, de um lado, e uma competição com o produto estrangeiro dentro do mercado. Mais grave: 90% da crítica artística — felizmente não tem nenhum aqui — veicula, defende e elogia esses produtos. A consequência econômica é óbvia: o empresário de comunicação no Brasil é um semifalido. Está pendurado no Banco Nacional, no Banco Nacional de Música, na Embrafilme, no Serviço Nacional de Teatro. O artista no Brasil não tem condições de sobreviver transando com o empresariado porque ele é, por natureza, falido. As editoras compram os direitos do Harold Hobbins, esse cara que os críticos ficam elogiando por aí, por 20, 25 mil dólares, e o escritor brasileiro está recebendo 10 mil cruzeiros de avanço, e alguns nem nada. Dizem que há 400 livrarias. Mesmo que sejam mil é ridículo, num país de 100 milhões de habitantes. O nível do mercado editorial no país explica metaforicamente a miséria total do povo. Não só do povo, mas das elites, que não conseguem se informar. Então, eu acho que o Estado tem que absorver isso, senão a cultura desaparece. Por exemplo, uma contradição:

os bancos sofreram uma restrição de crédito. O Banco Central botou 40% sob controle. Ora, o empresário vai levantar no banco dinheiro para produzir peças e filmes, que são artes caras, para competir com o produto estrangeiro aqui dentro? Nós somos obrigados a elevar o nosso custo. O filme tem que ser em cor, tem que ser bem gravado. Os discos no Brasil são pessimamente feitos. Para você transar bem tem que mixar em Los Angeles. A pobreza tecnológica das artes no Brasil é um desastre. Os teatros são mal equipados, não há estúdios de som para discos e filmes, as condições gráficas só funcionam com um requinte, assim, nas gráficas elitistas, mas o produto gráfico normal é mal feito. Ou o Estado absorve as estruturas de produção destes fenômenos ou eles tendem a falir. Isso é uma posição. Sobre essa relação entre o Estado e a arte eu acho o seguinte: o artista está esmagado desde Aristóteles.

DARCY – Esmagado entre o capital privado e a empresa estatal.

GLAUBER – O que se verifica é que há uma tese. A velha discussão sobre se as condições econômicas geram mecanicamente um tipo de arte. Eu discordo. Eu acho que a produção artística, sua materialização tecnológica, depende de uma condição econômica, mas a ideologia, não. A prova é que você verifica uma série de artistas que aparentemente estão comprometidos com o sistema pela sua dependência econômica, mas cuja produção artística transcende a isso.

ELIZABETH – Por exemplo?

GLAUBER – Shakespeare, o teatro grego, tudo isso. A história é vasta de exemplos. Bom, a cultura americana, que é tão valorizada, não existe, o intelectual *top* nos Estados Unidos é Norman Mailer, um subliterato, um sujeito pré-sartriano.

MÁRIO – Existe cultura americana.

GLAUBER – Eu discordo. Eu acho que a cultura universitária americana é lavagem cerebral, ciência social altamente superficial, ciência estatística, antidialética. Eles não conhecem o marxismo. O estruturalismo que eles conhecem lá é um estruturalismo não dialético, fenomenológico. A literatura americana é muito ruim, salvo, por exemplo, os escritores americanos dos anos 1920 e 1930. Faulkner não é melhor que Jorge Amado. O Jorge Amado escreve sobre os crioulos do sul. Faulkner é porreta e Jorge Amado não é, que história é essa? Os nêgos do Jorge Amado são nêgos do sul, Hemingway e Graciliano Ramos, é tudo a mesma coisa. Não tem nenhum escultor melhor do que o Aleijadinho. Não tem músico melhor do que o Villa-Lobos. Guimarães Rosa é melhor do que James Joyce, porque inclusive é língua nova. Então, você vê, um negócio fantástico no Brasil é o seguinte: a arte de um país subdesenvolvido vem a ser melhor qualitativamente do que a arte americana. Gilberto Freyre, inclusive, é um sociólogo que influenciou a sociologia americana. Isso é que é importante, a contribuição da arquitetura, das ciências sociais brasileiras, da economia, das artes, inclusive você, Mário, como teórico da arte, Darcy, como antropólogo, o Gullar como intelectual múltiplo, a música de Tom Jobim, a literatura de Antonio Callado. Nessa miséria cultural brasileira você encontra pessoas que conseguiram realmente superar o subdesenvolvimento e pensar desenvolvidamente, pessoas de origem popular, da classe média ou da burguesia. Quer dizer, esse negócio aí de sociólogos, esse livro *Ideologia da cultura brasileira*,[1] que saiu tentando, como disse o Gullar no *Jornal do Brasil*, reduzir a cultura à ideologia... A consciência liberta o homem. Então, eu acho que não é um problema moral para os artistas daqui transarem com o Estado no nível do Ministério da Educação, sobretudo no momento atual, mesmo com a censura sequestrando peças premiadas e filmes. Não sei quanto aos filmes brasileiros. Mas filmes estrangeiros são proibidos, e mal ou bem são liberados e os brasileiros são colocados no esquecimento. A ação da Embrafilme, do SNT, do Instituto Nacional de Música e dos outros

---

[1] Carlos Guilherme Mota, *Ideologia da cultura brasileira*, São Paulo, Ática, 1977. (N. do E.)

organismos ligados ao MEC, não tem nenhuma ligação com a descriminação ideológica, não se nota nenhuma atitude de perseguição ideológica. Ao contrário, nota-se um estado de perplexidade. O Estado tenta criar meios para promover o desenvolvimento cultural e não sabe exatamente o que fazer, porque não há uma ideologia criativa no Brasil. Quer dizer, se não há no campo da arte é sinal de que não há no campo da filosofia. No campo das Ciências Sociais há também um esmagamento colonizador. Quer dizer, o Celso Furtado, o Darcy, o Mário, que é um esteta que não está diretamente ligado ao campo social, são pensadores independentes. E por isso são importantes. A sua opinião, a do Gullar, sobre a Bienal, Krajcberg, a mostra da Argentina, é a que vai dar. A dos outros são opiniões relativas. Por exemplo, a crítica das artes plásticas no Brasil continua sendo muito colonizada. Esse caso da Bienal é típico, é um assunto que eu não domino muito, mas você sabe que há uma dominação das formas estrangeiras nas críticas e os críticos daqui ficam discutindo abstracionismo, tachismo, purismo e desconhecendo os artesãos populares, a escultura negra, a escultura popular, a arte brasileira, a gráfica popular, a crise visual é total. Nós estamos colonizados, do ponto de vista gráfico, pelo que há de pior da cultura da arte de massa americana. Já se perderam os bons tempos do requinte visual do concretismo, uma introdução revolucionária no Brasil no campo da arte visual. Perdemos a noção do espaço. Até na imprensa, que sofreu essa influência revolucionária da linguagem concretista, isso se perdeu. Os jornais estão mal paginados, mal escritos, voltamos a uma retórica descritiva nos artigos. Não há estímulo dialético. A colonização é total. Concluindo: no campo das Ciências Sociais você verifica que em tudo há uma direita e uma esquerda. Há um estruturalismo fenomenológico, que verifica a existência dos fenômenos e aceita a realidade como ela é. E o pensamento da ciência social americana que tenta agora assaltar o Brasil. Os brasilianistas são um assalto à cultura brasileira. Eu quero dizer o seguinte: um grupo de tecnocratas americanos vai estudar os pensamentos mais secretos da nação brasileira para descobrir o substrato do inconsciente poético e as raízes do país para poder planejar melhor a ocupação. Porque se você domina militarmente e avacalha os intelectuais, você ocupa o país. Então, é o seguinte: no momento você nota que há um processo de avacalhação, de combate à arte brasileira. Os melhores intelectuais, os melhores artistas brasileiros, além de não terem o seu mercado, estão pobres. Se a gente for fazer aqui o nosso balanço econômico, vamos ver que a nossa situação não corresponde ao investimento cultural puro, dedicado, que nós demos à nossa prática social aqui. Isso se reflete na nossa pobreza. Enquanto isso, qualquer subliterato, que escreve novelas para a televisão, tem salário de 100 mil, 200 mil cruzeiros. Um filme de publicidade de cinco minutos... A produção de um disco é de 500 milhas. Enquanto Lima Barreto, o grande cineasta brasileiro, morre de fome, um diretor medíocre de televisão ganha 100 mil contos por mês. Então, é o escândalo da dominação econômica do capitalismo, e nesse caso ele não é multinacional, é americano, porque a entrada do filme europeu, a do livro, é pouca. A parte europeia, digamos, pega 20% disso. Então, a questão de abrir ou fechar o país para as influências estrangeiras, eu concordo com o Gullar de que o pensamento é realmente internacional e tudo isso. Acho realmente que nós nunca devíamos tomar uma posição xenófoba, fascista, porque o nacionalismo xenófobo leva ao fascismo, o nacionalismo unipartidário centralista, o nacionalismo de cima para baixo, não é de caráter liberal. O meu conceito de democracia é de caráter econômico-social, as ideias se manifestam juntamente, e as ideias que não dependem desse esquema são revolucionárias e sempre extraordinárias. Em geral abrem os caminhos mas, depois, são sacrificadas. Isso é um fenômeno de antropofagia cultural e não quero entrar em detalhes. Eu acho que, dentro de um conceito realista, deve-

-se considerar prioritário para o cérebro do brasileiro criar condições para que nós possamos ter a nossa própria literatura, ver nossos filmes, nossas peças, quer dizer, desenvolver nossa comunicação afetiva e ideológica. E evidentemente importar o melhor do mundo para que tenhamos uma noção. Evidentemente se você importa filmes do Buñuel, do Godard, do Fellini ou os documentários chineses tudo bem, mas se você importa 500 Kojaks... O Brasil tem um problema literário grave, os velhos autores, fora aqueles clássicos, tipo Zé Lins [do Rego], não são editados. Daucídio Jurandir não é reeditado, Ernani Donato não é reeditado, poetas como Murilo Mendes... Uma série de autores vai se perdendo se não tem continuidade. Essa crise vai criar um campo aberto na universidade brasileira, e eu considero muito mais grave do que tudo: a penetração da ideologia de uma ciência social colonizada, que quer julgar o Brasil em função das concepções importadas. Então, é o seguinte: o marxismo-leninismo, segundo o filme do Eisenstein, *Outubro*, é aquele negócio, aquela marca; para os outros, vai ser como em Portugal. O Brasil é modelo peruano, o outro diz não, é a Constituinte de Lisboa; o outro defende a posição de social-democracia sueca; o outro é pelo modelo iugoslavo. Brasileiro mesmo não pinta, nêgo não pensa. É uma significação terrível. Quando a Silvia Kristel vai ao Congresso e o Petrônio Portela e o Marco Maciel a recebem, está sendo dado um atestado de colonização. Ela é uma sub-atriz. Não se trata de uma Elizabeth Taylor, de uma Brigitte Bardot, não se trata de uma atriz de primeiro escalão. Ela é uma prostituta de quarto escalão. Vai ao Congresso e eles não sabem quem ela é, isso é grave. Enquanto a gente luta contra, dá-se o fato: *Emanuelle* penetra no Congresso. Precisamos tomar uma providência.

ELIZABETH – Agora, Glauber, que consequências pode ter essa dependência da cultura brasileira?

GLAUBER – Dependência do quê?

Elizabeth – Dependência do Estado. Você mesmo falou, é uma questão de sobrevivência.

Glauber – Não, eu vou te explicar. Você colocou mal uma coisa quando você disse que os artistas dependiam de subvenção do Estado.

Elizabeth – Patrocínio.

Glauber – Vamos pegar uma precisão linguística.

Elizabeth – Qualquer peça que seja encenada hoje no Rio de Janeiro traz na porta MEC, Funarte, SNT...

Glauber – É preciso uma informação mais concreta. A imprensa vem cometendo sérios erros sobre isso. Eu vou explicar. A Embrafilme é uma empresa comercial e industrial, uma sociedade mista: 51% das ações são do Estado, 49% são dos produtores. É uma empresa! A Embrafilme opera capitalisticamente com os filmes, adianta dinheiro de produção. E tem participação, como um banco. O Serviço Nacional de Teatro não é uma empresa, é um órgão assistencial, eu não sei se dá subvenções ou empréstimo.

Zuenir – Subvenção.

Glauber – No cinema é empréstimo. A Embrafilme participa como coprodutora até 30%, nunca com mais do que isso. O diretor se vira arranjando 70% para fazer o filme. É apenas uma empresa que produz e distribui. Não há ônus político para o produtor que vai tratar com ela, porque é melhor tratar com a Embrafilme do que com a Paramount.

Elizabeth – Mas você mesmo falou no outro dia que está há um ano e meio esperando sinal verde da Embrafilme para fazer seu filme.

Glauber – Mas é diferente, Beth. Eu estou explicando a você o que é a estrutura. A Embrafilme opera como qualquer empresa comercial de cinema, com a vantagem de que os juros não existem, são baixíssimos, as comissões de distribuição são mais baixas, são de 25%, os créditos são mais longos, quer dizer é uma empresa que tem o objetivo de reforçar economicamente as estruturas dos produtores cinematográficos.

Como ela funciona, suas deficiências e a qualidade, esse é outro aspecto. Quem é financiado, quem não é... É preciso entender que, na Embrafilme, não se bota roteiro de filme para ser financiado. Se apresenta um projeto econômico e o *know-how* da pessoa que faz. A Embrafilme é, teoricamente, a empresa de cinema mais bem organizada do mundo. Nós acabamos com o Instituto Nacional de Cinema, um órgão de subvenções, para fazer uma empresa. Os produtores que se virem. Já o Instituto Nacional do Livro procede de outro jeito. E o Serviço Nacional de Teatro de outro. Então, a palavra "dependência", no caso do cinema, não existe. Existe uma relação de caráter econômico, sem compromissos políticos, entendeu? No teatro, eu também não acredito que exista isso. Eu acredito que as subvenções sejam condicionadas a pressupostos políticos das pessoas que fazem. Eu estou dando fatos concretos, porque eu acho que a gente só pode analisar aqui fatos concretos.

ELIZABETH – Mas quase todo mundo precisa da Embrafilme para fazer seus projetos.

GLAUBER – Mas eu posso apitar. O meu filme custa seis milhões; a Embrafilme entrou com 30%, um milhão e oitocentos. O resto que vou ter que tomar no Banco Nacional, empenhando a minha casa, 3,5% ao mês como eu sempre fiz. Então, não é dependência. Se eu levo o meu projeto ao Luís Carlos Barreto e ao Walter Clark da Globo, que ontem deram um coquetel dizendo: "oferecemos melhores condições com a Embrafilme". Claro, o Barreto inicia com o Walter Clark hoje dois filmes: um do filho dele, outro do Anselmo Duarte com o Pelé, com o orçamento de seis milhões cada um. O Paulo Thiago faz *A Batalha dos Guararapes* com o orçamento de um milhão de dólares, produzido por empresas privadas. Os dois filmes nacionais lançados hoje, o outro do Anselmo Duarte e o *Barra Pesada*, não são distribuídos pela Embrafilme. Os filmes mais rentáveis do país não são feitos pela Embrafilme, são de empresários que estão querendo boicotar as produções que não têm objetivos comerciais. O problema é esse. A Embrafilme assume o ônus do mercado, está até alugando cinema para pagar filme brasileiro. Ela implantou uma distribuidora que vai hoje do sul a Manaus, aumentando a renda média de um filme brasileiro de 40 para 100 milhões. A renda máxima de um filme aqui eram as produções americanas que faziam 30 milhões. A distribuidora da Embrafilme no interior do país é hoje mais bem implantada que qualquer distribuidora americana. O Jack Valenti ficou impressionado quando chegou e viu. O Jack Valenti veio pensando que ia derrubar a Embrafilme, porque o negócio começou a engrossar quando se verificou o aumento de 40% no mercado. Hoje, nós estamos com uma grande vitória porque qualquer filme brasileiro enche, qualquer abacaxi as pessoas estão indo ver. Se acostumaram com o cinema brasileiro, ruim ou bom, as rendas são assustadoras. Então, é a Embrafilme partir para criar o mercado comum latino-americano. O Roberto Faria organizou em Brasília um encontro com todos os diretores de organismos da América Latina e da África, que é uma velha tese do cinema brasileiro, o Zuenir sabe disso. No dia em que teve a reunião, anunciou-se a chegada do Jack Valenti ao Brasil — não quero contar a história toda, que ela é longa — para ir ao presidente do Brasil, ao Ney Braga, com um festival de cinema em Brasília, com o filme de James Bond, fazer o mesmo que fizeram na Venezuela. Lá, o Carlos Andrés Perez anulou as leis de proteção ao cinema venezuelano. Felizmente a mulher veio aqui, a diretora, falou com o Roberto Farias, disse: "O Valenti já esteve com o Perez, esteve com o Carter, a questão do cinema é importante, é a grande bandeira da publicidade americana". Então, o Valenti veio aqui para poder romper com esse projeto, apoiado pela CIC, pelos proprietários dos grandes cinemas, pelos grandes empresários. Tanto que houve um encontro em Brasília com o Ney Braga logo depois que ele recebeu o Valenti, a que eu e vários outros diretores nos recusamos ir, apesar de termos atacado pelos jornais. Quero dizer que os cineastas estiveram sozinhos nessa luta, não houve solidariedade de outros setores, talvez porque não tenha havido tempo para a mobilização, mas porque esse problema não é muito bem entendido. Ele é muito grave. Mais importante do que fazer cinema para nós tem sido defender essa porra desse mercado da penetração. O que aconteceu? O Jack Valenti foi lá e não conseguiu. Foi recebido pelo Ney Braga mas não foi recebido pelo Geisel. Foi o único presidente da República com quem o Valenti não falou. Vários diretores não foram ao Ney Braga depois, porque ele mandou chamar, porque nós colocamos a seguinte questão: os diretores não vão a Brasília com os produtores pedir a preservação, agora, porque a lei é de 50% nos cinemas para filme brasileiro. Porque esses próprios empresários que usam o cinema independente do Brasil o fazem apenas para pedir um mercado para eles, liquidar os autores e se associar às multinacionais e fazer um subproduto industrial aqui. A prova disso é que o [Franco] Cristaldi estava no Brasil instalando uma multinacional de cinema, o [Carlo] Ponti também. Isto porque nós temos certeza de que este governo não vai abrir mão. Então, o Geisel disse ao Jece Valadão o seguinte: "o mercado brasileiro é para filme brasileiro, eu prefiro ver um mau filme brasileiro a ver um filme estrangeiro", que era uma frase do Paulo Emílio, ele botou essa coisa para vingar. Então, no setor de cinema é isso. Não existe essa dependência, a Embrafilme é nossa, nós a construímos da CAIC do Lacerda, que fez a Comissão da Indústria Cinematográfica exigindo dependência política. Eu não fui premiado aqui por *Deus e o Diabo*. Depois, a CAIC virou a Difilm, empresa privada, e essa empresa particular virou uma empresa de Estado, que congrega todas as forças do cinema brasileiro. Não há uma dependência, quer dizer, o cineasta assume a Embrafilme porque a Embrafilme sem o cineasta não existe, então não é uma coisa de cima para baixo. Pelo que conversei com o Marcos Nobre, também não há política de dependência. Então é outra coisa. Se o Estado não intervém nas indústrias de produção artística, em nenhum país do mundo ela poderá se desenvolver. A não ser nas monarquias super-ricas, que vão financiar as elites. A situação em que vivem os intelectuais, os artistas e os cientistas sociais brasileiros é uma situação de indigência. Então, é uma contradição que deve ser assumida e o intelectual deve ter a independência de transar com o Estado e com a situação política real sem culpabilidade. É a chama de culpa católica, eu não tenho noção do pecado, eu tenho noção da prática. Um filme é ruim ou bom porque foi financiado pelo Bradesco ou pela Embrafilme? Na Embrafilme eu não pago os juros do Bradesco. A Embrafilme oferece aos produtores melhores condições de trabalho do que as empresas privadas. Elas, sim, controlam o roteiro, a montagem, o elenco, fazem o chamado controle artístico. A Embrafilme, do Estado, o Sindicato da Indústria Cinematográfica, a Associação de Cineastas e a Associação de Curta-Metragem reúnem-se semanalmente para decidir toda e qualquer medida que a Embrafilme toma. Pelo menos no cinema nós temos um sistema democrático funcionando. E o governo não pode realmente destruir a Embrafilme, porque aí ele destrói o cinema. Então, a minha tese fica bem entendida: não existe uma dependência. Existe uma situação social que estrangula todo mundo. A eleição dos diretores da Embrafilme é uma decisão da classe. Todo mundo que tá lá entrou assim. Se a gente quiser tirar um amanhã, reúne o sindicato e tira. Quero decidir o seguinte: a classe cinematográfica se organizou porque teve que lutar contra o imperialismo. Ela, na classe artística, foi a primeira a ter a noção da penetração imperialista no campo do espetáculo. Pegando filme para fazer com *papagaio* em banco vencendo em quatro meses, a gente foi descobrindo o mercado, a inflação e o custo. De forma que essa organização política da classe tem que ser essa luta direta contra o imperialismo.

Zuenir – Eu acho, Glauber, que o troço mais grave é que a ênfase na defesa dos interesses nacionais, provocada muito por essa luta, acabou levando a um falso antagonismo, quer dizer, como se a defesa da questão nacional fosse prioritária, ou fosse impedir a luta pelos direitos humanos, tá entendendo? Esse negócio foi um equívoco que correu aí durante muito tempo.

Glauber – Você está tocando num ponto importantíssimo, que eu acho grave. Mas eu não queria responder não, porque eu já falei muito. Talvez o Gullar. Essa coisa que o Zuenir colocou é importante, quer dizer, num grupo há pessoas que pensam num grande Brasil, num Estado *Nacional* democrático, socialista, e outros que acham prioritário lutar por reformas superficiais para salvar a situação.

Zuenir – A questão nacional e a questão democrática tendem a ser colocadas como duas coisas antagônicas. Se você opta por uma, você está contra a outra. Isso foi um equívoco que...

Glauber – [*cortando*] Darcy, você que foi ministro de Estado, o que é para você o Estado Nacional, qual é a sua concepção? Eu vou colocar alguns problemas aqui, sobretudo para Mário e Darcy, e pro Gullar também, mas [*virando-se para o Gullar*] vamos deixar eles falarem um pouco.

Gullar – É.

Glauber – É o seguinte: o Geisel fez um discurso ontem completamente polêmico, que cita Aristóteles, Rousseau, São Tomás de Aquino e Stuart Mill para rebater teses de democracia liberal e colocar um conceito ainda vago, mas com frases estimulantes, sobre a democracia social — que ele não usa o termo, chama de democracia relativa — mas fundado em princípio dialético.

Darcy – O Geisel se esqueceu de um filósofo importante, que é...

Glauber – Mas eu quero fazer outra pergunta.

Darcy – O Geisel se esqueceu, falando deste assunto, do único teórico importante, Montesquieu.

GLAUBER – Ah, bom, começa aí, vai.

DARCY – O Montesquieu fala de uma coisa muito importante que é a *volonté générale*.

GLAUBER – O que que é?

DARCY – Quer dizer, quem é que expressa a vontade geral? Ela não sai da cabeça de governante nenhum. Esta vontade geral, só o povo votando expressa.

GLAUBER – Claro, mas eu estou fazendo uma pergunta para você. Qual é a sua concepção de Estado Nacional [*Darcy e Glauber falando ao mesmo tempo*]. Não, não, eu estou fazendo uma pergunta, a discussão é atual, vamos colocar este problema. O que vocês dois acham desta concepção: Estado Nacional, tipo partido único, modelo mexicano, e Estado democrático, capitalista liberal, o que são os Estados no mundo hoje e quais as consequências estatais vigentes em relação ao impasse brasileiro? E este sistema, que é parte estatizada e parte privada, como é que economicamente ele pode chegar a sair desse impasse, dentro desta dialética entre capitalismo privado e concepção de Estado? Quer dizer, eu queria que vocês falassem um pouco sobre isso, pode ser frutífero nessa discussão.

PEDROSA – Eu não acho essa discussão frutífera, acho muito formal.

GLAUBER – Mas isso é uma discussão muito atual e...

DARCY – Deixa o Mário falar.

GLAUBER – Ah bom, tudo bem.

PEDROSA – Eu não tenho autoridade para falar sobre isso, porque não estou a par. Eu acho que essa é uma discussão puramente formal, sem nenhum sentido de realidade. Estado Nacional, estado geral...

GLAUBER – Mas estas discussões estão vigentes hoje no Brasil. Hoje se discute se o Brasil vai para um regime estatal nacionalista ou se o Brasil se volta para uma democracia liberal, da época do Jango e do Juscelino. Ou uma Constituinte que instalasse aqui um novo sistema social-democrático. Estes assuntos estão em discussão nos jornais. Eu quero saber o que você acha.

Pedrosa – Eu não acho que o Brasil pode ser uma democracia liberal capitalista de jeito nenhum. Porque não pode e não vai ser. Agora, uma forma de socialismo, isso é possível.

Elizabeth – O Darcy queria fazer uma observação.

Darcy – O Mário falou há pouco de uma posição que é muito fecunda e importante para entender as coisas: no Brasil, a tendência prevalecente até agora é que o Estado se fortaleça, em prejuízo da nação. Então, a nação é o quadro dentro do qual o povo vive seu destino. O Estado é que é aquele aparato, aquele sistema, aquela máquina que envolve o monopólio do uso da violência, o monopólio de fazer dinheiro, uma máquina capaz de prover certos serviços. Esse Estado, essa máquina, esse aparato quando dominado por uma elite governista que perde o contato com a nação, ou quando ele se torna um Estado salvacionista, que é fascista e pretende que alguns chefes inspirados possam salvar o povo, perde sua única razão de ser, que é a de instrumento da soberania popular, que é a expressão legítima da vontade geral. Ele só vale como Estado autêntico quando sua composição expressa não esta vontade popular, mas o faz considerando a nação. O único mecanismo que se inventou para isso até agora foi eleição. E-lei-ção. É um regime democrático e eleitoral. O que eu sinto no Brasil, e sinto atrás de nossas discussões, é uma tentativa de escamotear o povo, de encontrar um modo de que o povo não se expresse. Que o povo não esteja presente. E a coisa mais terrível é que há aí uma tradição nossa, antiga, de desprezo ao povão muito aprofundada no Brasil. Por exemplo, o descaso profundo para com o povo. Se há um país em que há uma distância abismal entre gente e povo, quer dizer entre pobres e ricos, é aqui. Em nenhum país do mundo se olha para pobre morrendo na rua com tanto descaso. Em nenhum país do mundo a desigualdade diante da lei é tão brutal como no Brasil. Agora, uma consequência disso, que eu acho que é uma herança da escravidão — a escravidão deforma o escravo, mas deforma o escravizador também. Ao tratar o escravo como coisa, ele se habitua a ver o branco pobre também como um dejeto e se converte em massa domada, em cabra mandado, em capanga amoldado ao patrão. A deformação que decorre daí e que qualifico de terrível e que está na cabeça dos brasileiros é o pendor autocrático e seu estilo autoritário, inclusive, pendor que está também em muito democrata de profundo sentimento salvacionista, mas elitista, achando que vai salvar o país de costas para o povão. Esse povo brasileiro, em sua ignorância, que é culpa do Estado, é muito melhor, hoje, que aquele povo francês que compôs o poder republicano francês há séculos; do que o povo norte-americano, que há séculos também está compondo, pelo voto, o poder na América do Norte. E a única forma para esse povo melhorar, amadurecer mais é exercendo o direito de ser ele mesmo.

GLAUBER – Mas você acha que...

DARCY – O que faz mal a esta nação é a tutela. É a velha tutela exercida sobre o povo por alguns que se acham tão poderosos, tão sábios, que prescindem da vontade popular. Assim como a lei da gravidade é fundamental — o que você jogar para cima cai para baixo —, a única lei da gravidade em política é a de que o que legitima o exercício da autoridade é que ela seja referida à vontade geral e que somente esta possa definir o que é o bem comum. Qualquer raciocínio que fuja disso — como ocorre quando se fala de democracia relativa, de democracia com segurança — é uma forma de escamotear aquela relação fundamental, de trair a vontade popular. Este país está marcado por isso porque se há um país que sempre esteve subjugado a minorias que desprezavam seu próprio povo, esse país é o nosso. Se há um país em que a máquina do Estado teve sempre um poder de direção, sempre foi este. Veja, uma das características raras do Brasil, que nós todos começamos a perceber nos últimos anos, é que o grau de racionalidade com que a sociedade foi feita é enorme.

GLAUBER – Irracionalidade?

DARCY – Racionalidade.

GLAUBER – É o Marquês de Pombal.

DARCY – Não, antes do Marquês de Pombal. O Brasil foi fundado por aquele cara que obteve do rei de Portugal uma donatária em Pernambuco e veio para cá trazendo o dinheiro dele não para fundar uma nação, mas para pôr em movimento uma operação agromercantil muito complicada. Veio de navio, trazendo a técnica de montar um engenho, mais as pessoas, de navio foi buscar os negros na África, produzir o açúcar aqui que deveria vender na Europa. Este foi um empreendimento planejado colossalmente importante. Nunca a Itália teve nada de tão planificado. Nem a França. O que o produtor de *camembert* produzia, a merdinha do *camembert* dele lá, seu queijinho, a operação aqui era muito mais complexa, só comparável ao que seria uma fábrica no futuro, concentrando nas fazendas uma vasta mão de obra especializada, sendo sua vida extenuante, por uma série de especialistas em finanças, transporte etc. Pode-se dizer que este país corresponde a um projeto. Mas este projeto nunca foi do povo. Foi dos poucos que lançaram e dirigiram a empreitada e continua sendo dos poucos. Então, a coisa tremenda que está acontecendo no Brasil nas últimas décadas é que este projeto, que aos poucos envolvia e ocupava todo o povão, começou a ser excludente. Eu explico: sempre houve uma carência tremenda de mão de obra. O Brasil importou dez ou doze milhões de negros africanos. Cinco milhões de indígenas aqui. E se importou outros cinco milhões de europeus. Aqui você já tem uns 22 milhões, engajados ao longo de quase cinco séculos aos projetos do açúcar, do outro, do café etc., que o Brasil produziu para exportar. É uma importação de gente. Você já imaginou se nós tivéssemos que fazer hoje uma operação semelhante de transladar 20 milhões de pessoas, fossem trazidas de lugares diferentes, do fundo do mato, da África, onde foram caçadas, ou do fundo da Europa para produzir aqui? Durante toda a história brasileira houve sempre uma carência tremenda de mão de obra, uma procura de braços que eram trazidos à força ou aliciados de algum modo para serem gastos aqui no processo produtivo exportador. O que é que acontece nas últimas décadas? De repente, a mão de obra está aí e ninguém quer explorá-la. O povo é que está sobrando. O sistema se desenvolveu por uma linha tal que para operar segundo os interesses dos mais ricos foi tornando o povo dispensável. Desprezo pelo povo, que não dá bola para o fato de que o povo está com fome, povo que sofre querendo emprego. O que é um bóia-fria: aquele que foi expulso da antiga fazenda, onde podia produzir uma mandioquinha que comia e que está na vila, esperando que venha um caminhão que o leve para trabalhar na fazenda. Trabalha por três, quatro meses por ano e o resto do ano o quê? Ele quer ser explorado. Então, a tese da exploração do trabalho: a reivindicação do brasileiro é ser explorado, é encontrar emprego fixo com salário mínimo o ano inteiro. Desta situação decorrem as crises que vivemos e que representam os efeitos de uma situação opressiva. Que fazer com esse povão crescente, que trabalha para comer e sobreviver, num futuro que só pode ser próspero poupando mão de obra? A Europa, no processo de desenvolvimento, passou por um momento desses e começou a sobrar europeu. Qual foi a solução europeia? Matou mais de 40 milhões em guerra e exportou 60 milhões de braços. Se estas 100 milhões de pessoas que saíram do quadro europeu no último século estivessem lá, a Europa seria socialista. Não é porque exportou gente e importou riqueza do mundo inteiro. Agora, nós vamos exportar o quê, nordestino? Quem é que vai querer comprar cearense? Há alguma guerra promissora para acabar com alguns milhões? Não. O povão está aí. O projeto continua sendo definido pela minoria, pelos privilegiados e o povão, morrendo de fome.

Pedrosa – Deve morrer. É necessário que morra.
Glauber – Mas, no Brasil, o que é prioritário para você? Reformas econômicas e sociais ou o restabelecimento do sistema democrático que caiu em 1964?
Darcy – Olha, eu acho absolutamente indispensável o restabelecimento do sistema democrático, que é a única forma pela qual as reformas econômicas e sociais não sejam para os ricos. Não sendo assim, será dos ricos. O que é que sempre ocorreu no Brasil e tende a ocorrer agora? Tende a ocorrer que os privilegiados, que sempre foram muito ricos — o rico do Brasil sempre foi muito mais perdulário do que os ricos de outro lugar — e totalmente irresponsáveis no plano social, eles vão continuar a oprimir para enricar. Seus ideólogos, a nova tecnocracia que tem horror ao povo, continuam dizendo que é preciso primeiro aumentar o bolo para depois distribuir. Vão continuar prometendo no ano 1990, no ano 2000, no ano 2050. A única forma de distribuir algum dia realmente é que o povo tenha um papel na discussão. É que o povo componha um poder comprometido com ele, fiel aos interesses da maioria. É claro que isso é contrário a sérios, vastos interesses que sempre dominaram o Estado e sempre puderam interferir no processo político brasileiro. A continuar este processo político, gerido por salvacionistas ou militaristas, sem uma presença popular, esses interesses minoritários continuarão prevalecendo. Então, neste momento, o que está acontecendo no Brasil? Depois de muitos anos, começa a haver uma abertura democrática. A abertura não é mais do que uma participação do povo nos órgãos de decisão que afetam seu destino. Essa participação se abre somente por duas portas: primeiro que tudo, eleições, em que todo brasileiro seja elegível e possa ter sua vontade expressa pelo voto, o reconhecimento de que a legitimidade do mando decorre da vontade popular expressa pelo voto e, segundo, sindicato livre para reivindicar. São essas duas coisas.
Glauber – Uma questão atual no Brasil que é de discussão

geral é a seguinte: você acha que os sindicatos que voltaram a circular no Brasil devem negociar os dissídios livremente ou sob a fiscalização do Estado?

DARCY – A função do Estado, Glauber, a fun-ção do Es-ta-do, é garantir aos sindicatos o direito de reivindicar diante do patrão.

GLAUBER – Mas tem que ver o problema inflacionário e econômico também.

DARCY – Isso é paternalismo para o patrão. Até hoje o que acontece? Os sindicatos estão sob intervenção há 13 anos. Há 13 anos que qualquer operário sabe que o governo é patronal, é contra ele. Qualquer um sabe.

GLAUBER – Mas recentemente não tem sido.

DARCY – Não! Recentemente tem sido. O salário mínimo, o arrocho salarial, quem está comprimindo o salário não é só mais o patrão, não. O patrão está ganhando com isso, mas é o governo que exige. O governo continua exigindo que o povo pague o preço da inflação, não os ricos.

GLAUBER – Eu estou achando que a gente realmente não vai poder prosseguir com esse debate. Estamos novamente entrando num terreno perigoso.

DARCY – Nada, Glauber, emotivo.

GLAUBER – Não, é que eu estou falando de coisas que não vão poder ser publicadas. O governo abriu uma campanha pela pechincha. O que eu tenho visto na televisão... Eu vi a seguinte cena...

DARCY – Acabar com a intervenção nos sindicatos é muito mais importante do que uma campanha pela pechincha.

GLAUBER – Não, rapaz, eu vi coisas em Ipanema... O cara botou quatro cruzeiros, o povo pechinchou, fez um grupo assim... [*descreve com gestos uma multidão*]. Parecia maioria absoluta, aquele filme subversivo. Aí um cara vai preso e diz: "Estou pechinchando porque o governo mandou". Quer dizer, se você for analisar, for pedir para ver a publicidade contra a inflação...

Elizabeth – Parece-me que o governo já retirou.
Glauber – Tirou, mas foi um avanço altamente anticapitalista.
Darcy – Não é, Glauber, a impressão que eu tenho é a seguinte...
Glauber – Olha, eu acho que o debate não pode ser publicado.
[*Todos protestam, gritam, reclamam da posição do Glauber*]
Glauber – Não, Beth, olha, eu acho o seguinte: eu me retiro do debate, tomando a posição do Gullar. Eu vou explicar a você por quê: o debate é um fracasso, porque tem pessoas, inclusive como eu digo, eu sou o quarto escalão aqui, pessoas que sabem muito mais do que eu inclusive.
Elizabeth – Eu acho um absurdo.
Glauber – Não há condições de levar as discussões a fundo.
Elizabeth – *Depende* de como você vai conversar.
Glauber – Não! Eu, por exemplo, comecei a discordar do Darcy a partir de certo momento, mas eu não discordarei publicamente do Darcy jamais por uma questão minha, pessoal. Eu converso com ele, mas não vou discordar publicamente, que a opinião dele, mesmo errada, é mais importante que a minha discordando.
Elizabeth – Você está exercendo uma censura.
Glauber – Não, não é uma censura não. Liberdades democráticas... É uma tática política que estou fazendo.
Darcy – Não se preocupe, eu vou falar muita besteira, você também.
Glauber – Como o Gullar não tem condições de refutar certas teses minhas sobre o Partido, como o Mário... Eu acho, por exemplo, que a sindicalização é tutelada, que a sindicalização e a estatização vão levar o Brasil para o socialismo, queira ou não queira o CEBRAP, isso, aliás, se reflete na vida do país.
Gullar – Glauber, o inimigo do socialismo não é o CEBRAP!
Glauber – É o CEBRAP, é a CIA, Miguel Arraes, a Constituinte de Lisboa, o MDB, Ulysses Guimarães, a multinacional, Fernando Gasparian, todos esses intelectuais, então não dá pé essa discussão, senão nós vamos agredir os amigos. Eu acho

que o Reis Veloso tá certo, o Simonsen tá certo, a planificação econômica do Brasil tá perfeita, a luta contra a inflação dentro do balanço internacional, que o projeto é socialista...

Elizabeth – Mas você está anulando com essa sua retórica toda a troca fundamental de comunicação.

Glauber – Não! Você está sendo liberal! Se o Frota quis derrubar o Geisel, não sou eu que vou dizer aqui que o governo é socializante, que vai me dar o quê? Uma declaração no jornal e um tiroteio na minha casa? Não dá pé, a discussão mixou. Não há condições no Brasil de se fazer um debate amplo e aberto.

Darcy – Mas Glauber, nós precisamos conversar...

Glauber – Conversar tudo bem. Mas eu lhe digo, Beth, não publique nada do que eu digo, embora eu não abra mão de nada do que disse, porque vai cair num debate babaca.

Elizabeth – Mas há muitas coisas que nós queríamos discutir aqui. Tanto é que todos concordaram com esse encontro, com uma troca de ideias e, no princípio, nós estávamos aqui falando isso. Ou você veio aqui checar que é impossível?

[*Confusão. Todos falam ao mesmo tempo.*]

Glauber – Ô, Beth, eu não direi mais nada, me recuso a dizer. Esse debate já era.

COLEÇÃO DE BOLSO HEDRA

1. *Iracema*, Alencar
2. *Don Juan*, Molière
3. *Contos indianos*, Mallarmé
4. *Auto da barca do Inferno*, Gil Vicente
5. *Poemas completos de Alberto Caeiro*, Pessoa
6. *Triunfos*, Petrarca
7. *A cidade e as serras*, Eça
8. *O retrato de Dorian Gray*, Wilde
9. *A história trágica do Doutor Fausto*, Marlowe
10. *Os sofrimentos do jovem Werther*, Goethe
11. *Dos novos sistemas na arte*, Maliévitch
12. *Mensagem*, Pessoa
13. *Metamorfoses*, Ovídio
14. *Micromegas e outros contos*, Voltaire
15. *O sobrinho de Rameau*, Diderot
16. *Carta sobre a tolerância*, Locke
17. *Discursos ímpios*, Sade
18. *O príncipe*, Maquiavel
19. *Dao De Jing*, Laozi
20. *O fim do ciúme e outros contos*, Proust
21. *Pequenos poemas em prosa*, Baudelaire
22. *Fé e saber*, Hegel
23. *Joana d'Arc*, Michelet
24. *Livro dos mandamentos: 248 preceitos positivos*, Maimônides
25. *O indivíduo, a sociedade e o Estado, e outros ensaios*, Emma Goldman
26. *Eu acuso!*, Zola — *O processo do capitão Dreyfus*, Rui Barbosa
27. *Apologia de Galileu*, Campanella
28. *Sobre verdade e mentira*, Nietzsche
29. *O princípio anarquista e outros ensaios*, Kropotkin
30. *Os sovietes traídos pelos bolcheviques*, Rocker
31. *Poemas*, Byron
32. *Sonetos*, Shakespeare
33. *A vida é sonho*, Calderón
34. *Escritos revolucionários*, Malatesta
35. *Sagas*, Strindberg
36. *O mundo ou tratado da luz*, Descartes
37. *O Ateneu*, Raul Pompeia
38. *Fábula de Polifemo e Galateia e outros poemas*, Góngora
39. *A vênus das peles*, Sacher-Masoch
40. *Escritos sobre arte*, Baudelaire
41. *Cântico dos cânticos*, [Salomão]
42. *Americanismo e fordismo*, Gramsci
43. *O princípio do Estado e outros ensaios*, Bakunin
44. *O gato preto e outros contos*, Poe
45. *História da província Santa Cruz*, Gandavo
46. *Balada dos enforcados e outros poemas*, Villon
47. *Sátiras, fábulas, aforismos e profecias*, Da Vinci
48. *O cego e outros contos*, D.H. Lawrence

49. *Rashômon e outros contos*, Akutagawa
50. *História da anarquia (vol. 1)*, Max Nettlau
51. *Imitação de Cristo*, Tomás de Kempis
52. *O casamento do Céu e do Inferno*, Blake
53. *Cartas a favor da escravidão*, Alencar
54. *Utopia Brasil*, Darcy Ribeiro
55. *Flossie, a Vênus de quinze anos*, [Swinburne]
56. *Teleny, ou o reverso da medalha*, [Wilde et al.]
57. *A filosofia na era trágica dos gregos*, Nietzsche
58. *No coração das trevas*, Conrad
59. *Viagem sentimental*, Sterne
60. *Arcana Cœlestia e Apocalipsis revelata*, Swedenborg
61. *Saga dos Volsungos*, Anônimo do séc. XIII
62. *Um anarquista e outros contos*, Conrad
63. *A monadologia e outros textos*, Leibniz
64. *Cultura estética e liberdade*, Schiller
65. *A pele do lobo e outras peças*, Artur Azevedo
66. *Poesia basca: das origens à Guerra Civil*
67. *Poesia catalã: das origens à Guerra Civil*
68. *Poesia espanhola: das origens à Guerra Civil*
69. *Poesia galega: das origens à Guerra Civil*
70. *O chamado de Cthulhu e outros contos*, H.P. Lovecraft
71. *O pequeno Zacarias, chamado Cinábrio*, E.T.A. Hoffmann
72. *Tratados da terra e gente do Brasil*, Fernão Cardim
73. *Entre camponeses*, Malatesta
74. *O Rabi de Bacherach*, Heine
75. *Bom Crioulo*, Adolfo Caminha
76. *Um gato indiscreto e outros contos*, Saki
77. *Viagem em volta do meu quarto*, Xavier de Maistre
78. *Hawthorne e seus musgos*, Melville
79. *A metamorfose*, Kafka
80. *Ode ao Vento Oeste e outros poemas*, Shelley
81. *Oração aos moços*, Rui Barbosa
82. *Feitiço de amor e outros contos*, Ludwig Tieck
83. *O corno de si próprio e outros contos*, Sade
84. *Investigação sobre o entendimento humano*, Hume
85. *Sobre os sonhos e outros diálogos*, Borges — Osvaldo Ferrari
86. *Sobre a filosofia e outros diálogos*, Borges — Osvaldo Ferrari
87. *Sobre a amizade e outros diálogos*, Borges — Osvaldo Ferrari
88. *A voz dos botequins e outros poemas*, Verlaine
89. *Gente de Hemsö*, Strindberg
90. *Senhorita Júlia e outras peças*, Strindberg
91. *Correspondência*, Goethe — Schiller
92. *Índice das coisas mais notáveis*, Vieira
93. *Tratado descritivo do Brasil em 1587*, Gabriel Soares de Sousa
94. *Poemas da cabana montanhesa*, Saigyō
95. *Autobiografia de uma pulga*, [Stanislas de Rhodes]
96. *A volta do parafuso*, Henry James
97. *Ode sobre a melancolia e outros poemas*, Keats
98. *Teatro de êxtase*, Pessoa
99. *Carmilla — A vampira de Karnstein*, Sheridan Le Fanu

100. *Pensamento político de Maquiavel*, Fichte
101. *Inferno*, Strindberg
102. *Contos clássicos de vampiro*, Byron, Stoker e outros
103. *O primeiro Hamlet*, Shakespeare
104. *Noites egípcias e outros contos*, Púchkin
105. *A carteira de meu tio*, Macedo
106. *O desertor*, Silva Alvarenga
107. *Jerusalém*, Blake
108. *As bacantes*, Eurípides
109. *Emília Galotti*, Lessing
110. *Contos húngaros*, Kosztolányi, Karinthy, Csáth e Krúdy
111. *A sombra de Innsmouth*, H.P. Lovecraft
112. *Viagem aos Estados Unidos*, Tocqueville
113. *Émile e Sophie ou os solitários*, Rousseau
114. *Manifesto comunista*, Marx e Engels
115. *A fábrica de robôs*, Karel Tchápek
116. *Sobre a filosofia e seu método — Parerga e paralipomena (v. II, t. 1)*, Schopenhauer
117. *O novo Epicuro: as delícias do sexo*, Edward Sellon
118. *Revolução e liberdade: cartas de 1845 a 1875*, Bakunin
119. *Sobre a liberdade*, Mill
120. *A velha Izerguil e outros contos*, Górki
121. *Pequeno-burgueses*, Górki
122. *Um sussurro nas trevas*, H.P. Lovecraft
123. *Primeiro livro dos Amores*, Ovídio
124. *Educação e sociologia*, Durkheim
125. *Elixir do pajé — poemas de humor, sátira e escatologia*, Bernardo Guimarães
126. *A nostálgica e outros contos*, Papadiamántis
127. *Lisístrata*, Aristófanes
128. *A cruzada das crianças/ Vidas imaginárias*, Marcel Schwob
129. *O livro de Monelle*, Marcel Schwob
130. *A última folha e outros contos*, O. Henry
131. *Romanceiro cigano*, Lorca
132. *Sobre o riso e a loucura*, [Hipócrates]
133. *Hino a Afrodite e outros poemas*, Safo de Lesbos
134. *Anarquia pela educação*, Élisée Reclus
135. *Ernestine ou o nascimento do amor*, Stendhal
136. *A cor que caiu do espaço*, H.P. Lovecraft
137. *Odisseia*, Homero
138. *História da anarquia (vol. 2)*, Max Nettlau

Edição _ Jorge Sallum
Coedição _ Alexandre B. de Souza
e Bruno Costa
Projeto gráfico _ Júlio Dui
Capa _ Rafic Farah e Escola da Cidade
Programação em LaTeX _ Marcelo Freitas
Consultoria em LaTeX _ Roberto Maluhy Jr.
Assistência editorial _ Bruno Oliveira
Colofão _ Adverte-se aos curiosos que se imprimiu esta obra em nossas oficinas em 28 de novembro de 2011, em papel off-set 90 g/m², composta em tipologia Minion Pro, em GNU/Linux (Gentoo, Sabayon e Ubuntu), com os softwares livres LaTeX, DeTeX, vim, Evince, Pdftk, Aspell, svn e TRAC.